U0943273

“十二五”国家重点图书出版规划项目

CHINA WETLANDS RESOURCES
Ningxia Volume

中国湿地资源

宁夏卷

◎ 国家林业局组织编写

中国林業出版社

图书在版编目（CIP）数据

中国湿地资源·宁夏卷／国家林业局组织编写；郭宏玲分册主编．—北京：中国林业出版社，2015.12

"十二五"国家重点图书出版规划项目

ISBN 978-7-5038-8285-2

Ⅰ.①中… Ⅱ.①国… ②郭… Ⅲ.①湿地资源—研究—宁夏 Ⅳ.①P942.078

中国版本图书馆CIP数据核字（2015）第296571号

总 策 划：金　旻

策划编辑：徐小英

主要编辑：徐小英　刘香瑞　李　伟
何　鹏　于界芬

美术编辑：赵　芳

出版发行　中国林业出版社（100009　北京西城区刘海胡同7号）
http://lycb.forestry.gov.cn
E-mail:forestbook@163.com　电话：(010)83143515、83143543

设计制作　北京捷艺轩彩印制版有限公司

印刷装订　北京中科印刷有限公司

版　　次　2015年12月第1版

印　　次　2015年12月第1次

开　　本　787mm×1092mm　1/16

字　　数　281千字

印　　张　11

定　　价　85.00元

中国湿地资源系列图书
编撰工作领导小组

顾　问： 陈宜瑜　李文华　刘兴土

组　长： 张永利

副组长： 马广仁

成　员：（按姓氏笔画排序）

王文宇　王忠武　王海洋　韦纯良　邓乃平　邓三龙
兰宏良　刘建武　刘艳玲　刘新池　李　兴　李三原
李永林　来景刚　吴　亚　张宗启　陆月星　陈则生
陈传进　陈俊光　林云举　呼　群　金　旻　金小麒
周光辉　降　初　孟　沙　侯新华　夏春胜　党晓勇
徐济德　奚克路　阎钢军　程中才　雷桂龙　蔡炳华
樊　辉

中国湿地资源系列图书
编撰工作领导小组办公室

主　任： 马广仁

副主任： 鲍达明　唐小平　熊智平　马洪兵

成　员： 王福田　姬文元　刘　平　闫宏伟　李　忠　田亚玲
王志臣　张阳武　但新球　刘世好　王　侠　徐小英

《中国湿地资源·宁夏卷》
编辑委员会

《中国湿地资源·宁夏卷》
编写组

主　　编：郭宏玲

副 主 编：翟　昊　楼晓钦

编 著 者：李占才　黄　维　张志东　段志刚　王芬明　田　瑞
冯　玲　李国强　汪泽鹏　翟敬军　王志勇　何彤慧
荀光生　窦建德　杨　健　马洪兵　王　侠　朱莉华
王　明　陈　雯　高维军　尚子华　吴玉林　何彤慧
张　凡　杨　宁

主　　审：徐庆林　郭宏玲　翟　昊

地图绘制：俞立民

插图编绘：翟　昊　杨　建

照片摄影：荀光生

总 序

湿地是地球表层系统的重要组成部分，是自然界最具生产力的生态系统和人类文明的发祥地之一。在联合国环境规划署（UNEP）委托世界自然保护联盟（IUCN）编制的《世界自然资源保护大纲》中，湿地与森林和海洋一起并称为全球三大生态系统。湿地具有类型多样、分布广泛的特点；湿地更重要的是还具有多种供给、调节、支持与文化服务功能，是人类重要的生存环境和资源资本。湿地与人类生产生活和社会经济发展息息相关。湿地的重要性受到世界各国和国际社会的普遍关注。早在1971 年，国际社会就建立了全球第一个政府间多边环境公约，即《关于特别是作为水禽栖息地的国际重要湿地公约》（简称《湿地公约》）。同时，该公约也是全球最早针对单一生态系统保护的国际公约。1992 年中国加入《湿地公约》，自此我国湿地保护事业进入了新的发展时期。

我国加入《湿地公约》后，在国家林业局设立了专门的湿地保护和履约机构，对内负责组织、协调、指导和监督全国湿地保护工作，对外负责《湿地公约》的履约工作。近年来，中国各级政府在湿地保护方面开展了大量卓有成效的工作，采取了一系列保护和合理利用湿地资源的措施，在湿地保护规划和重点工程建设、财政补贴政策制定实施、法规制度建设、保护体系建设、科研监测、宣传教育和国际合作等方面取得了长足进步。但我国湿地生态系统仍然面临着盲目围垦与改造、污染、水土流失、泥沙淤积、生物资源过度利用等多种因素的破坏和威胁，导致面积减少，生态功能下降，生物多样性丧失。因此，切实保护和合理利用湿地资源，既是保障生态安全和国土安全的当务之急，更是中国实施可持续发展战略势在必行的要务。

开展湿地资源调查，摸清湿地资源家底，把握湿地资源动态，是所有湿地保护工作的基础，也是履行《湿地公约》各项工作的根基。2009 ～ 2013 年，在中央财政的支持下，国家林业局组织开展了第二次全国湿地资源调查工作。在此期间，我有幸作为第二次全国湿地资源调查专家技术委员会的主任委员，和其他专家一起全程参与了此次湿地资源调查的主要技术环节和成果鉴定。

我认为此次调查具有以下几个特点：一是，此次调查的湿地分类、界定标准、调查方法基本与《湿地公约》规定相接轨，使得调查数据符合《湿地公约》的要求，调查成果易于被国际认可，便于国际间的对比和交流。二是，制定了内容全面、方法科学、符合国际标准的统一技术规程《全国湿地资源调查技术规程（试行）》，进行了同标准、同口径的分期分批调查。三是，本次调查利用“3S”技术与现地验证相结合的技术方法，查清了全国范围内（未包括香港、澳门、台湾）8 公顷以上的湿地资源基本情况。四是，湿地调查分为一般调查和重点调查。重点调查包括，国际重要湿地、国家重要湿地、自然保护区（含自然保护小区）和湿地公园内的湿地以及其他特有、分布濒危物种和红树林等具有特殊保护价值的湿地。五是，组织保障有力。国家层面上，成立了第二次全国湿地资源调查领导小组、专家技术委员会、中央技术支撑单位和国家质量检查组；省级层面上，分别成立了湿地调查专职机构，组建了省级专业调查队伍。

需要指出的是，第二次全国湿地资源调查期间，我国湿地保护事业发展迅速。2009 年，中央启动了“湿地生态效益补偿试点”工作；2010 年开始，中央财政设立了湿地保护补助专项资金；2012 年，党的十八大将建设生态文明纳入中国特色社会主义事业“五位一体”总体布局，提出要“扩大森林、湖泊、湿地面积，保护生物多样性”。期间，国家林业局会同相关部门认真实施了《全国湿地保护工程实施规划 (2005 ～ 2010 年)》和《全国湿地保护工程“十二五”实施规划》。2013 年，国家林业局出台的《推进生态文明建设规划纲要》划定了湿地保护红线，到 2020 年中国湿地面积不少于 8 亿亩。2013 年，国家林业局出台了第一部国家层面的湿地保护部门规章《湿地保护管理规定》。应该说，历时 5 年的湿地资源调查与同期湿地保护事业的发展，是休戚相关，相互促进的。

第二次全国湿地资源调查取得了丰硕成果。在全球范围内，我国率先完成了《湿地公约》倡导的国家湿地资源调查，首次科学、系统地查明了《湿地公约》所定义的我国湿地资源情况。建立了完整的全国湿地资源空间数据库和属性数据库，掌握了近 10 年来湿地资源动态变化情况，建立了稳定的湿地资源调查专业队伍和专家团队，形成了较为完整的湿地资源调查监测技术规范，完成了全国湿地资源总报告、分省报告和多个专题报告，编制了系列成果图。调查成果达到国际先进水平。

党的十八大对建设生态文明作出了全面部署，强调把生态文明建设放在突出地位，融入经济建设、政治建设、文化建设、社会建设各方面和全过程。在全国第二次湿地资源调查成果的基础上，系统编著形成了中国湿地资源系列图书，为新时期我国湿地保护事业奠定了坚实基础。希望本系列图书能够为我国湿地工作者在开展湿地研究、保护与合理利用工作时提供参考和借鉴。

中国科学院院士 陈宜瑜

2015 年 9 月

前　言

宁夏回族自治区，位于中国西北地区东部，国土面积5.195万平方公里，人口618万，其中回族222万，占宁夏总人口的36%。中华母亲河黄河宛如一条玉带，自南而北纵贯境内13个县、市、区397公里，黄河世代哺育着宁夏平原。两千多年来历代兴修水利，优越的引黄灌溉条件造就了西北干旱地区的绿洲，湿地使宁夏成为国家四大自流灌溉区之一，同时也形成了以湖泊湿地为主要特征的湿地生态系统。宁夏自古有“塞上江南”“天下黄河富宁夏”的美誉。宁夏湿地面积20.72万公顷，湿地类型包括河流湿地、湖泊湿地、沼泽湿地、人工湿地等四个类型。南部丘陵区以季节性河流湿地、零星人工水库和堰塞湖为主；中部干旱区多为盐沼、盐湖湿地；北部宁夏平原为永久性河流湿地、湖泊湿地和人工湿地。宁夏湿地作为重要的物种基因库，有200多种野生植物和130多种野生动物，是全球东亚—澳大利亚和中亚以及中国西部鸟类重要的迁徙路线和繁衍地。

随着中国政府加入国际《湿地公约》，将湿地保护与合理利用列入《中国21世纪议程》和《中国生物多样性保护行动计划》优先发展领域，湿地生态保护得到中国政府高度重视。十多年来，宁夏在全国率先实施湿地保护与恢复，不断加强湿地保护的法律和制度建设，在国内较早制定并施行了《宁夏回族自治区湿地保护条例》，相继出台了《关于加强湿地保护管理的通知》《关于建立湿地示范区、湿地保护小区和湿地公园的决定》等与湖泊湿地保护有关行政规章，编制了《宁夏湿地保护规划》《黄河湿地保护规划》等，并将湿地保护纳入地方社会经济发展规划中。宁夏积极开拓筹资渠道，实施了一批重点示范项目，开创了西北内陆湿地保护新局面。通过湿地恢复、水系建设、栖息地修复、湖泊综合整治和能力建设等工程，湿地生态得以改善，湿地资源得到保护，湿地生物多样性不断丰富，充分发挥了湿地调蓄洪水、涵养水源、调节气候、维护生物多样性等多种生态功能。目前，宁夏已建成湿地类自然保护区4处，国家湿地公园12处，省级湿地公园8处。

2010年全国第二次湿地资源调查（宁夏区）结果显示，与2000年第一次湿地资源调查结果相比，宁夏湿地面积增加了30万亩。湿地面积增加，湿地生态恢复，不仅使宁夏生态环境得到明显改善，同时优化和改善了人居环境和经济发展环境，带动了区域经济的全面发展。宁夏湿地保护、恢复与利用成果显著，美誉不断，“银川湖泊湿地保护与恢复项目”获“中国人居环境范例奖”，中卫市因保护黄河湿地资源而获“迪拜国际改善居住环境最佳范例奖”。宁夏平原被评为中国“十大新天府”之一。沙湖成为中国最具魅力的“十大湿地”之一。

全国第二次湿地资源调查（宁夏区）工作始于2010年，按照国家林业局的总体部署，宁夏林业厅积极组织、精心部署，成立了宁夏湿地资源调查领导小组和专家组，组建了以宁夏湿地保护中心和宁夏林业调查规划院为主体，市、县、区专业技术人员参加的调查队伍。编制了《宁夏湿地资源调查方案》和《宁夏湿地资源调查技术实施细则》，设立建标路线15条，建立解译标志240个，区划湿地斑块1694个，在各地水利、环保、气象、农业和渔业等部门的大力支持下，经过一年半时间，比较全面的查清了宁夏湿地资源的家底，为科学保护和可持续利用湿地资源奠定了坚实的基础。

湿地保护事业是一项全民的社会公益事业，需要社会各界广泛参与。《中国湿地资源 · 宁夏卷》以全国第二次湿地资源调查（宁夏区）数据为依据，全面阐述了保护湿地的科学知识，翔实介绍了宁夏丰富的湿地资源，科学总结了宁夏近年来在保护和利用湿地方面的成果，系统展示了“塞上江南”的美好愿景。这本书的出版，将为领导决策提供科学依据，为湿地保护管理部门、相关业务单位和湿地保护工作者提供工具书、资料书。

《中国湿地资源 · 宁夏卷》编辑委员会

2015年3月

目　录

第一章 基本情况

第一节 自然概况

1 地理位置

宁夏回族自治区位于我国西北地区，地处黄河中上游，与甘肃、内蒙古、陕西等省份毗邻，地理坐标为东经 104°17′～107°39′，北纬 35°14′～39°23′。东西宽 50～250 公里，南北长约 456 公里，面积 5.195 万平方公里，占全国陆地总面积的 0.54%。

2 地质地貌

六盘山东麓，罗山东侧和牛首山东北呈南北向延伸的龙首——六盘深断裂，把宁夏地质构造分为明显差异的东、西两部分，东部属中朝准地台，西部属昆仑秦岭地槽褶皱区。在地层上东部属华北地层区，西部属祁连地层区。因受活动的祁连山地槽、六盘山褶皱带和古老稳定的鄂尔多斯台地等地质构造运动的制约，受流水侵蚀、干燥剥蚀及风蚀等外营力的影响，宁夏地貌类型复杂多样，并且表现出明显的过渡性特点。麻黄山—罗山南麓—王团—干盐池一线以南，以流水侵蚀作用为主，形成了水土流失严重的黄土侵蚀地貌；该线以北以干燥剥蚀作用为主，堆积及风蚀地貌发育，山地岩屑发育形成山麓多宽广的洪积倾斜平原。宁夏自北而南可分为：贺兰山山地（海拔 2000～3500 米）、银川平原（海拔 1090～1200 米）、灵盐台地（海拔 1300～1500 米）、宁中山地（海拔 1450～2600 米）与山间平原（海拔 1155～1400 米）、宁南黄土丘陵（海拔 1700～2100 米）和六盘山山地（海拔 2050～2900 米）等地貌单元。

3 土　壤

受地形地貌、地质、生物、气候条件与人为活动影响，宁夏土壤的类型及分布，呈现出地带性特征，宁夏南部为温带干草原，年均降水量 350～500 毫米，干燥度 1～2，生长干草原植被，是黑垆土的主要分布区；在海原干盐池、麻春堡、杨坊、李果园，同心窑山、小罗山南端、达拉顶，盐池县红井子一线以北，气候干燥，年降水量 180～350 毫米，干燥度 1～2，属荒漠草原区，主要分布的是灰钙土。在贺兰山山麓（石嘴山落石滩）一带分布有灰漠土。在黑垆土分布区域，受母质与地质影响，在风成黄土且侵蚀作用强烈的南部山区交错分布有大量黄绵土。在一些洼地及地下水较高的地域，分布有沼泽土、潮土、碱土和盐土。在灰钙土分布区域，灰钙土由于沙性大，在干旱多风及强烈的物理风化中形成风沙土。在引黄灌区分布的是灌淤土。

宁夏土壤分属10个土纲，17个土类，37个亚类和75个土属。从面积上看以灰钙土、黄绵土、风沙土、新积土、黑垆土、灌淤土、灰褐土等土壤类型面积较大，尤以灰钙土、黄绵土分布最广，其面积占土地总面积的48.7%。

4 气 候

宁夏地处内陆，远离海洋，同时又位于我国季风区西缘，冬季受蒙古高压控制，为寒流南下之要冲；夏季处在东南季风西行的末梢，形成了典型的大陆性气候。

按照全国气候区划，固原以南属温带半湿润区，固原以北至同心、盐池一带属温带半干旱区，北部宁夏平原属温带干旱区，气候呈现明显的南北差异。按照农业与气候关系，宁夏由南到北划分为六盘山高寒阴湿区、宁南中温干旱区、引黄灌区和贺兰山区等气候区。六盘山高寒阴湿区包括泾源县全部，隆德县大部，西吉、海原、原州等县(区)的部分地区，年平均气温5~6℃，年降水量500~700毫米，为宁夏降水量最多的地区，蒸发量1400毫米，干燥度1~1.4，≥10℃年积温1890~2460℃，无霜期110~130天，全年日照时数2200小时；宁南中温干旱区分为西海固半干旱区和盐同香山干旱区，其中西海固半干旱区包括海原、原州、彭阳等县区的大部，年平均气温6~7℃，年降水量400毫米以上，蒸发量1900毫米，≥10℃年积温2000~2400℃，无霜期110~140天，全年日照时数2700小时。盐同香山干旱区包括盐池、同心大部，海原北部，中卫香山山区及中宁、灵武等县市的台地边缘地区，年平均气温7~9℃，年降水量300毫米左右，蒸发量2200毫米，≥10℃年积温2600~3000℃，日照和热量资源丰富，但风蚀和风沙危害严重；引黄灌区包括卫宁、银川平原和贺兰山山前平原，年平均气温8~9℃，年降水量190毫米以上，蒸发量2000毫米，≥10℃年积温3200~3400℃，无霜期150~240天，全年日照时数2800~3100小时。

宁夏气候总体特征是：干旱少雨、南寒北暖、南湿北干、冬寒漫长、夏少酷暑、雨雪稀少、日照充足、蒸发强烈、气候干燥、风大沙多、无霜期短。

5 水 文

5.1 主要河流水系

宁夏位于黄河上中游，除中卫甘塘一带为内流区外，其余皆属黄河流域，盐池县东部为流域内之闭流区，是鄂尔多斯内流区的一部分。主要河流有黄河干流及其支流。黄河干流自中卫南长滩入境，流经卫宁平原及银川平原至石嘴山头道坎麻黄沟出境，流程397公里，多年平均入境水量306.8亿立方米，出境水量281.2亿立方米。

黄河支流水系有祖厉河水系、清水河水系、苦水河水系、葫芦河水系、泾河水系及黄河两岸诸沟。祖厉河、清水河、苦水河为黄河一级支流，葫芦河、泾河为黄河二级支流。黄河主要支流分布于黄河右岸，并以六盘山地区为中心放射状分布。虽都具有中国北方河流的一般特点，但北流入黄河和南流入渭河的河流其水文特征存在一定差异。北流的祖厉河、清水河、苦水河及黄河两岸诸沟流经干旱、半干旱区，具有水量小、矿化度高、泥沙多、径流变化大的特点；南流的葫芦河、泾河流经半湿润区，具有水量较大、矿化度低、泥沙少、径流变化小的特点。

5.2 地表水资源

地表水资源是指宁夏境内降雨形成的河川径流量。经还原分析计算后宁夏天然地表水资源量9.493亿立方米，平均年径流深18.3毫米，包括年径流深小于5毫米的资源量(0.5亿立方米)（表1-1）。

5.2.1 分区地表水资源

从表1-1可以看出，泾河干流位于六盘山区，植被较好，雨量较多，水资源比较丰富，地表水资源量1.999亿立方米，平均径流深190.4毫米，单位面积产水量19.0万立方米/平方公里，为各分区最大。葫芦河面积3281平方公里，平均地表水资源量1.532亿立方米，径流深46.7毫米，单位面积产水量仅次于泾河干流。干塘内陆区集水面积407平方公里，该区位于中卫县西南的腾格里沙漠区，地势较为平缓，植被稀少，干燥多风，雨量稀少，多年平均地表水资源量0.009亿立方米，平均径流深仅2.2毫米，为各分区最小。

地市级行政区中，固原市面积11293平方公里，多年平均地表水资源量5.804亿立方米，平均径流深51.4毫米，位于各行政区之冠。吴忠市面积16543平方公里，地表水资源量1.004亿立方米，平均径流深6.1毫米，为各行政区最小。各县级行政区中，年径流深泾源县最大为219.7毫米，盐池县径流深最小为2.8毫米。

引黄灌区面积6573平方公里，受灌溉影响，地表水资源较多，多年平均1.490亿立方米，折合径流深22.7毫米。本区虽然地表水资源量相对较多，但在平水和枯水年份，小洪水补给湖泊、湿地等，消耗于蒸发；在丰水年份，大洪水部分汇入排水沟。

表1-1 宁夏各分区地表水资源统计表

分区名	面积（平方公里）	年降水量（亿立方米）	年径流量（亿立方米）	年径流深（毫米）	年径流系数（年）	年产水模数（万立方米/平方公里）	变差系数 Cv 值
祖厉河	597	2.334	0.098	16.3	0.04	1.63	0.44
清水河	13511	45.328	1.886	14.0	0.04	1.40	0.42
苦水河	4942	12.244	0.146	3.0	0.01	0.30	0.74
红柳沟	1064	2.690	0.065	6.1	0.02	0.61	0.70
黄河右岸区间	6067	12.062	0.161	2.7	0.01	0.27	0.34
黄河左岸区间	1262	2.241	0.039	3.1	0.02	0.31	0.26
引黄灌区	6573	11.766	1.490	22.7	0.13	2.27	0.34
贺兰山东麓	4109	8.304	0.635	15.5	0.08	1.55	0.50
葫芦河	3281	15.008	1.532	46.7	0.10	4.67	0.36
泾河干流	1050	6.820	1.999	190.4	0.29	19.0	0.40
马莲河	775	2.514	0.083	10.7	0.03	1.07	0.70
洪、茹、蒲河	3130	14.884	1.182	37.8	0.08	3.78	0.36

（续）

分区名	面积（平方公里）	年降水量（亿立方米）	年径流量（亿立方米）	年径流深（毫米）	年径流系数（年）	年产水模数（万立方米/平方公里）	变差系数 Cv 值
盐池内流区	5032	12.597	0.168	3.3	0.01	0.33	0.60
甘塘内陆区	407	0.698	0.009	2.2	0.01	0.22	0.40
银川市	7180	14.156	0.866	12.1	0.06	1.21	0.36
石嘴山市	4454	8.413	0.846	19.0	0.10	1.90	0.40
吴忠市	16543	41.752	1.004	6.1	0.02	0.61	0.33
固原市	11293	53.258	5.804	51.4	0.11	5.14	0.35
中卫市	12330	31.912	0.973	7.9	0.03	0.79	0.34
宁夏	51800	149.491	9.493	18.3	0.06	1.83	0.32

5.2.2 各主要河流地表水资源量

（1）清水河。清水河是宁夏直接注入黄河的最大支流，发源于固原市原州区开城乡黑刺沟脑，于中宁县泉眼山汇入黄河，流域面积14481平方公里（区内13511平方公里），河长320公里。水文特点是水少，沙多，水土流失严重，水质差，反映出干旱、半干旱河流特征。年径流深自上游至下游为105~3毫米。全河多年平均径流量2.02亿立方米（区内1.886亿立方米），区内平均径流深14.0毫米，年产水模数1.40万立方米/平方公里。韩水湾水文站以上区内面积4742平方公里，占全河面积的1/3，多年平均径流量1.37亿立方米，占全河总水量的2/3以上。径流量年际年内变化大，全河变差系数0.42。历年最大年径流量5.40亿立方米（1964年），最小0.883亿立方米（1987年），最大最小倍比达6.1。汛期6~9月平均径流量占全年的72.9%。多年月平均最大径流量在8月，占全年31.7%，最小为1月，占全年的1.7%，月最大、最小倍比达18.6。

（2）苦水河。苦水河发源于甘肃省环县沙坡子沟脑，经吴忠市利通区新华桥汇入黄河，流域面积5281平方公里（区内面积4942平方公里），河长224公里流域处于半干旱荒漠草原地带。水文特点是干旱，径流少，水质差，为季节性河流，是宁夏直接入黄最干旱的支流。全河水资源量0.162亿立方米（区内水资源量0.146亿立方米），区内平均径流深3.0毫米，年产水模数0.30万立方米/平方公里。径流的年际年内变化极大，全河变差系数 Cv 值达0.74。历年最大径流量0.54亿立方米（1996年），最小径流量0.027亿立方米（1963年）最大最小倍比20.0。汛期6~9月多年平均径流量0.115亿立方米，占全年水量的71%。该河下游进入引黄灌区后接纳灌区回归水，平均年排水量0.66亿立方米，占实测年径流量0.822（0.66+0.162）的80.3%。

（3）葫芦河。葫芦河为渭河上游一级支流，位于六盘山西麓，发源于西吉县月亮山，宁夏境内河长120公里，区内面积3281平方公里。水文特点是左岸水量较丰富，水质好，泥沙少；右岸水量小，质差，泥沙多，水土流失严重。区内地表水资源1.532亿立方米，平均年径流深46.7毫米，年产水模数4.67立方米/平方公里。径流年际变化相对较小，历年最大径流量3.284亿立方米（1961年），历年最小0.633亿立方米（1971年），最大最小倍比5.2倍。

（4）泾河。泾河流域位于宁夏南部，为渭河一级支流，发源于六盘山东麓二龙河，干流在境内长39公里，流域包括原州区东南部、彭阳、泾源县全部及盐池县南部的麻黄山区。区内面积

4955 平方公里，是宁夏水资源最丰富的地区。水文特点是水量多，水质好，径流地区变化大。年径流深 300 ~ 15 毫米。多年平均径流量 3. 264 亿立方米，平均径流深 65. 9 毫米，年产水模数 6. 59 立方米/平方公里。历年最大径流量 6. 77 亿立方米(1964 年)，最小径流量 1. 57 亿立方米(1997 年)，最大最小倍比 4. 3。泾河也是我区出境水量最多的河流。

(5)红柳沟、祖厉河。红柳沟发源于同心县小罗山黑山墩，经中宁县鸣沙洲汇入黄河。流域面积 1064 平方公里，河长 107 公里。水文特点是干旱，径流少，泥沙大。水资源量 0. 065 亿立方米，平均径流深 6. 1 毫米。年际变化大，最大最小倍比达 40. 7。下游进入灌区后有灌溉回归水加入。祖厉河主要在甘肃省境内，发源于甘肃省通渭县华家岭。区内面积 597 平方公里，流经西吉县、海原县，至甘肃省会宁县敦城注入祖厉河干流，于靖远县以下汇入黄河。水文特点是径流少，泥沙大，矿化度高。多年平均水资源量 0. 098 亿立方米，折合径流深 16. 3 毫米。

5. 2. 3　不同水质地表水资源量

按照矿化度 <2. 0 克/升，2. 0 ~5. 0 克/升，>5. 0 克/升 3 个级别划分，将多年平均矿化度分区图套在多年平均径流深等值线图上量算各分区不同水质分级的径流量。宁夏矿化度 <2. 0 克/升的面积 22348 平方公里，占宁夏总面积的 43%，径流量 7. 368 亿立方米，占宁夏总径流量的 78%。矿化度在 2. 0 ~5. 0 克/升的咸水面积 19947 平方公里，占总面积的 39%，径流量 1. 418 亿立方米，占总量的 15%。矿化度 >5. 0 克/升苦咸水面积 9505 平方公里，占总面积的 18%，径流量 0. 707 亿立方米，占总量的 7%。

从地区分布上看，矿化度 2. 0 克/升以下的淡水主要分布在泾河、葫芦河及清水河上游、罗山、香山、贺兰山东麓、引黄灌区。2. 0 ~5. 0 克/升的咸水主要分布在葫芦河支流滥泥河、祖厉河、黄河右岸诸沟。大于 5. 0 克/升的苦咸水主要分布在海原县张湾以北，同心县金鸡儿沟以南，盐池县北部。

宁夏淡水分布很不均匀。各水资源分区中，泾河干流 1. 999 亿立方米径流量全部是矿化度 < 2. 0 克/升的淡水，占淡水资源量的 27%，所占份额最大；而其面积 1050 平方公里，仅占淡水分布面积的 4. 6%。行政分区中固原市淡水资源 5. 030 亿立方米，占宁夏淡水资源的 68%，为宁夏最多。不同水质分区地表水资源量见(表 1-2)。

表 1-2　宁夏各分区不同水质地表水资源量

矿化度 / 水资源量 / 分区	<2. 0 克/升		2. 0 ~5. 0 克/升		>5. 0 克/升		合 计	
	面积(平方公里)	径流量(亿立方米)	面积(平方公里)	径流量(亿立方米)	面积(平方公里)	径流量(亿立方米)	面积(平方公里)	径流量(亿立方米)
祖厉河			597	0. 098			597	0. 098
清水河	2638	0. 657	5143	0. 718	5730	0. 512	13511	1. 886
苦水河	166	0. 013	2952	0. 069	1824	0. 064	4942	0. 146
红柳沟			1064	0. 065			1064	0. 065
黄河右岸区间	930	0. 025	4931	0. 125	206	0. 011	6067	0. 161
黄河左岸区间	1262	0. 039					1262	0. 039
引黄灌区	6573	1. 489					6573	1. 489

（续）

分区 \ 水资源量 \ 矿化度	<2.0 克/升		2.0～5.0 克/升		>5.0 克/升		合计	
	面积（平方公里）	径流量（亿立方米）	面积（平方公里）	径流量（亿立方米）	面积（平方公里）	径流量（亿立方米）	面积（平方公里）	径流量（亿立方米）
贺兰山东麓	4109	0.635					4109	0.635
葫芦河	2083	1.320	1198	0.212			3281	1.532
泾河干流	1050	1.999					1050	1.999
马莲河					775	0.083	775	0.083
洪、茹、蒲河	3130	1.182					3130	1.182
盐池内流区			4062	0.131	970	0.037	5032	0.168
甘塘内陆区	407	0.009					407	0.009
银川市	3917	0.787	3239	0.078	24	0.001	7180	0.866
石嘴山市	3692	0.832	762	0.014			4454	0.846
吴忠市	2223	0.319	7819	0.241	6501	0.444	16543	1.004
固原市	7583	5.030	3710	0.774			11293	5.804
中卫市	4933	0.400	4417	0.311	2980	0.262	12330	0.973
合　计	22348	7.368	19947	1.418	9505	0.707	51800	9.493

5.2.4 入出境地表水资源

入出境水量指的是流入或流出自治区边界的河川径流量。在宁夏北部境内黄河支流汇入到黄河的河川径流量不作为出境水量计算。如清水河自中宁县泉眼山汇入黄河，汇入量不作为入境水量计算。

宁夏当地地表水资源（即河川径流量）入出境水量，主要分布在泾河、葫芦河、清水河、苦水河。泾河、葫芦河为出境水，清水河、苦水河为入境水。入境水量以区外面积地表水资源量计，两河合计0.161 亿立方米，出境水量以当地地表水资源量减去分区耗用水量计算，分区合计出境水资源量4.371 亿立方米。由此可见，入境水量仅占宁夏总量的1.7%，出境水量则占到宁夏总量的46.0%。宁夏入出境水量计算成果（1996～2000 年），见表1-3。

表1-3　宁夏入出境水量计算成果表（亿立方米）

河　名	入出境计算面积（平方公里）	地表水资源量	耗用水量	入境水量	出境水量
祖厉河	597	0.098			0.098
苦水河	276	0.026		0.026	
清水河	970	0.135		0.135	
马莲河	775	0.083	0.004		0.079
葫芦河	3281	1.532	0.367		1.165
泾河干流	1050	1.999	0.043		1.956
洪、茹、蒲河	3130	1.182	0.109		1.073
合　计		5.055	0.523	0.161	4.371

5.2.5 黄河干流过境地表水资源量

黄河自宁夏中卫县南长滩入境，石嘴山头道坎出境，区境流程397公里。多年平均径流量以1956～2000年45年系列数据计算，下河沿水文站实测入境水量306.8亿立方米，石嘴山站出境水量281.2亿立方米，进出境相差25.6亿立方米。据1919～2002年共计84年资料统计，不同时段入出境年径流量见表1-4。

表1-4 黄河干流入出境实测年径流量统计表(亿立方米)

序号	时段	起止年份	年数	下河沿	石嘴山	$W_下-W_石$
1	多年平均	1919～2002	84	302.1	280.9	21.2
2	实测资料	1952～2002	51	305.0	279.5	25.5
3	第一次评价	1956～1979	24	324.9	300.8	24.1
4	第二次评价	1956～2000	45	306.8	281.2	25.6
5	龙库投运	1987～2002	16	249.0	221.5	27.5
6	近年枯水段	1991～2002	12	236.9	209.2	27.7
7	近6年	1997～2002	6	224.1	189.6	34.5

黄河干流径流量有丰枯交替变化的特点。以入境下河沿水文站实测资料为例，自1919～2002年84年中，年径流量出现3个偏丰和4个偏枯时段：1922～1932年连续11年偏枯，1935～1947年13年偏丰，1953～1960年8年偏枯，1961～1968年8年偏丰，1969～1974年6年偏枯，1981～1985年5年偏丰，1986～2002年连续17年一直偏枯，特别是1996～2002年7年平均年径流量仅222.3亿立方米。与第一次水资源评价(指1956～1979年宁夏水资源系统评价)年径流量324.9亿立方米相比，龙羊峡水库投运后1987～2002年年径流量249.0亿立方米，减少23.4%；1997～2002年年径流量224.1亿立方米，减少31.0%。

黄河为多泥沙河流，入境下河沿水文站在刘家峡、青铜峡建库前平均含沙量6.51公斤/立方米，建库后3.48公斤/立方米；年输沙量建库前2.07亿吨，建库后1.05亿吨。出境石嘴山水文站建库前平均含沙量5.9公斤/立方米，建库后3.56公斤/立方米，年输沙量建库前1.85亿吨，建库后0.99亿吨。黄河宁夏段泥沙特征值见表1-5。由表可以看出，建库前灌区年均引入泥沙137.5万吨，建库后灌区年均引入泥沙17.6万吨。

表1-5 黄河宁夏段泥沙特征值表

站名	集水面积(平方公里)	年输沙量(亿吨)		平均含沙量(公斤/立方米)	
		建库前	建库后	建库前	建库后
		1951～1966年	1967～2000年	1951～1966年	1967～2000年
下河沿	254142	2.07	1.05	6.51	3.48
青铜峡	275010	2.28	0.85	6.94	2.98
石嘴山	309146	1.85	0.99	5.90	3.56

5.3　地下水资源

5.3.1　平原区地下水资源量

计算各分区近期条件下各项补给量、排泄量，以各项补给量之和减去山前侧向补给量和井灌回归补给量作为平原区地下水资源量。根据平原区各分区水文地质参数和各种补给量、排泄量的计算，以及各分区之间重复量的分析计算，确定宁夏平原区地下水资源量为26.631亿立方米，计算结果见表1-6。

表1-6　宁夏平原区地下水资源量成果表

分　区			面积（平方公里）	地下水资源量（亿立方米/年）	矿化度（克/升）		
					<2	2~5	>5
中卫市	引黄灌区	卫宁	922	5.222	5.050	0.172	0
		银南	1123	5.695	5.330	0.364	0
	倾斜平原		175	0.113	0.113	0	0
	小　计		1298	5.807	5.443	0.364	0
银川市	引黄灌区	银南	839	4.100	3.831	0.269	0
		银北	1854	5.815	3.751	1.573	0.491
	倾斜平原		656	0.718	0.718	0	0
	小　计		3349	10.632	8.299	1.842	0.491
石嘴山市	引黄灌区	银北	1688	3.977	2.634	1.023	0.319
		陶乐	147	0.347	0.212	0.135	0
	倾斜平原		579	0.646	0.646	0	0
	小　计		2414	4.969	3.492	1.158	0.319
引黄灌区			6573	25.155	20.808	3.536	0.811
倾斜平原			1410	1.476	1.476	0	0

5.3.2　山丘区地下水资源量

山丘区地下水资源以山丘区总排泄量确定。宁夏山丘区地下水排泄量主要为河川基流量、机井开采量。山丘区河川基流量有水文资料的评价区按基流径流比值计算，未控区按相邻区（地形、地貌、水文和气象条件相似）基流模数类比计算。山前侧向排出量，宁夏主要为贺兰山侧向排出量，其灵敏值同山前倾斜平原侧向补给量。由于贺兰山区地下水开采条件差，为避免地下水资源重复计算，该项计入倾斜平原分区地下水资源量中。因此，计算得山丘区地下水资源量4.10亿立方米。按地形地貌分，贺兰山区为0.24亿立方米，宁南山区为2.20亿立方米，宁中山地及山间盆地为0.27亿立方米，黄土丘陵为1.05亿立方米，台地为0.34亿立方米，沙漠为0.004亿立方米，见表1-7。

表 1-7　宁夏地貌分区山丘地下水资源量

分　区				面积（平方公里）	地下水资源量（亿立方米/年）	矿化度（克/升）		
						<2	2～5	>5
山地	宁南山区	洪、茹、蒲河		273	2360	2360	0	0
		泾河	泾河干流	1050	12900	12900	0	0
		葫芦河	葫芦左岸	605	4890	4890	0	0
		清水河	清水河上游	267	1870	1870	0	0
		小　计		2195	22020	22020	0	0
	宁中山区	清水河下游	香山东南坡	920	460	460	0	0
		红柳沟	罗山西麓	744	82	32	50	0
		苦水河	罗山—韦州	1289	580	580	0	0
			苦水河	1776	152	0	152	0
		黄河右岸区间	兰州—大柳树	1064	250	250	0	0
			黄河右岸	1605	1050	590	460	0
	黄河左岸区间		黄河左岸	745	110	60	50	0
			小　计	8143	2684	1972	712	0
	贺兰山区	贺兰山东麓	吴忠市	899	410	410	0	0
			银川市	522	620	620	0	0
			石嘴山市	1278	1380	1070	310	0
		小　计		2699	2410	2100	310	0
	合　计			13037	27114	26092	1022	0
黄土丘陵	祖厉河		祖厉河	597	250	10	60	180
	清水河		固原	3078	2424	1830	380	214
			中卫	6037	2141	0	760	1381
			吴忠	3209	1065	0	562	503
	红柳沟		红柳沟	320	25	0	0	25
	黄河右岸区间		兴仁、盐池	223	90	20	70	0
			黄河右岸	963	75	0	0	75
	洪、茹、蒲河			2857	2450	2330	120	0
	马莲河			775	116	0	116	0
	葫芦河			2676	1880	1412	468	0
	合　计			20735	10516	5602	2536	2378

（续）

分　区			面积（平方公里）	地下水资源量（亿立方米/年）	矿化度（克/升）		
					<2	2～5	>5
台地	苦水河		1877	770	0	670	100
	黄河右岸区间	黄河可岸	1450	165	100	65	0
		陶乐台地	762	60	0	60	0
	盐池内流区	盐池内流区	5032	2360	424	1420	516
	合　计		9121	3355	524	2215	616
沙漠	黄河左岸区间		517	27	27	0	0
	甘塘内陆区		407	13	13	0	0
	合　计		924	40	40	0	0
总　计			43817	41025	32258	5773	2994

5.3.3 地下水资源量

宁夏地下水资源量为30.733亿立方米，其中，平原区26.631亿立方米，山丘区4.10亿立方米。与地表水资源量间重复计算量28.593亿立方米。地下水资源量按地级行政分区，中卫市5.639亿立方米，吴忠市6.330亿立方米，银川市10.744亿立方米，石嘴山市5.113亿立方米，固原市2.907亿立方米。

宁夏地下水资源矿化度<2克/升的为25.507亿立方米，2～5克/升的为4.114亿立方米，>5克/升的为1.112亿立方米。分别占地下水总量的83.0%、13.4%、3.6%。其中：平原区矿化度（M）≤2克/升地下水资源量为22.28亿立方米，平原区矿化度（M）>2克/升的地下水资源量4.35亿立方米；山丘区矿化度（M）≤2克/升地下水资源量为3.22亿立方米，矿化度（M）>2克/升的地下水资源量0.88亿立方米，见表1-8。

表1-8　宁夏各分区地下水资源量统计表

分　区		面积（平方公里）	地下水资源量（亿立方米/年）	矿化度（克/升）			重复计算量（亿立方米）
				<2	2～5	>5	
流域分区	祖厉河	597	0.025	0.001	0.006	0.018	0.025
	清水河	13511	0.796	0.416	0.170	0.210	0.796
	苦水河	4942	0.150	0.058	0.082	0.010	0.150
	红柳沟	1064	0.011	0.003	0.005	0.003	0.011
	黄右区间	6067	0.169	0.095	0.066	0.008	0.169
	黄左区间	1262	0.014	0.009	0.005	0	0.014
	引黄灌区	6573	25.155	20.808	3.536	0.811	24.133

（续）

分 区		面积（平方公里）	地下水资源量（亿立方米/年）	矿化度（克/升）			重复计算量（亿立方米）
				<2	2~5	>5	
流域分区	贺兰山东麓	4109	1.716	1.685	0.031	0	0.750
	葫芦河	3281	0.677	0.630	0.047	0	0.677
	泾河干流	1050	1.290	1.290	0	0	1.290
	马莲河	775	0.012	0	0.012	0	0.012
	洪、茹、蒲河	3130	0.481	0.469	0.012	0	0.481
	盐池内流区	5032	0.236	0.042	0.142	0.052	0.085
	甘塘内陆区	407	0.001	0.001	0	0	0
行政分区	银川市	7180	10.744	8.369	1.865	0.510	9.828
	石嘴山市	4454	5.113	3.598	1.195	0.320	4.436
	吴忠市	16543	6.330	5.520	0.659	0.151	5.930
	固原市	12330	2.907	2.683	0.169	0.055	2.907
	中卫市	11293	5.639	5.337	0.226	0.076	5.492
	宁 夏	51800	30.733	25.507	4.114	1.112	28.593

5.3.4 地下水可采量

地下水可开采量的确定主要考虑地下水水质和开采条件两个因素。用可开采系数法确定地下水可开采量。经计算，宁夏地下水多年平均可开采量21.53亿立方米（表1-9、表1-10）。

表1-9 宁夏地下水可开采系数表

分 区		可开采系数	开采条件
平原区	倾斜平原	0.8~0.9	含水层厚度大，富水性强，地下水矿化度<1克/升，水质好
	卫宁灌区	0.7~0.8	地下水埋深浅，开采条件较好，地下水矿化度多在1~2克/升
	银南灌区	0.7~0.8	单井出水量大，地下水矿化度多在1~2克/升，水质好
	银北灌区	0.6~0.7	地下水矿化度多在1~3克/升，矿化度>2克/升，地下水占27%
六盘山区		0.6~0.7	地下水多以河川径流形式排泄，机井开采地下水困难，可直接在河道中取水
黄土丘陵区		0.3~0.6	河谷平原地下水开采条件较好，其他大部分地区水质差，无开采条件
灵盐台地		0.4~0.5	地下水埋深大，水质变化大，地下水矿化度多在2~5克/升。沟谷潜水出水量大，但补给量不足，不能长期开采
黄河左右岸、宁中低山丘陵区		0.2~0.5	山前有水质好的地下水，可以开采的地段很多，大多数地方水质差或出水量少

表 1-10　宁夏地下水多年平均可开采量

分区		面积(平方公里)	地下水资源量(万立方米)	地下水可开采量(万立方米)
流域分区	祖厉河	597	250	10
	清水河	13511	7960	3900
	苦水河	4942	1502	478
	红柳沟	1064	107	35
	黄河右岸区间	6067	1690	610
	黄河左岸区间	1262	137	70
	引黄灌区	6573	251547	180042
	贺兰山东麓	4109	17170	14100
	葫芦河	3281	6770	4200
	泾河干流	1050	12900	7980
	马莲河	775	116	10
	洪、茹、蒲河	3130	4810	2690
	盐池内区流	5032	2360	1180
	甘塘内陆区	407	13	0
宁夏全区		51800	307332	215305

5.4　水资源总量

地表水、土壤水、地下水是普遍存在的 3 种水体。对宁夏而言，地表水主要是河流水，由大气降水和地下水补给，以河川径流、水面蒸发、土壤入渗的形式排泄。地下水为储存于地下含水层的水量，由降水和地表水的下渗所补给，经河川径流、潜水蒸发、地下潜流的形式排泄。土壤水为存在于包气带的水量，上面承受降水和地表水的补给，下面接受地下水的补给，主要消耗于土壤蒸发和植物散发，一般是在土壤含水量超过持水量的情况下才渗补给地下水或形成壤中流汇入河川，具有供给植物水分并连通地表水和地下水的作用。

宁夏各分区水资源总量详见(表 1-11)。

宁夏水资源总量为 11.633 亿立方米，其中地表水资源 9.493 亿立方米，地下水资源量计 30.733 亿立方米，重复计算量 28.593 亿立方米，各流域、行政分区水资源总量的分布极不均匀。以流域分区讲，产水量最大的为泾河干流 19.038 万立方米/平方公里，最小的为甘塘内陆区 0.246 万立方米/平方公里，相差 75.2 倍。以行政分区讲，最大的为固原市 5.139 立方米/平方公里，最小的为中卫市 0.908 立方米/平方公里，相差 5.4 倍。

表 1-11 宁夏各分区水资源总量计算成果

分区		分区面积（平方公里）	多年平均降水量（毫米）	多年平均地表水资源量（亿立方米）	多年平均地下水资源量（亿立方米）	重复计算量（亿立方米）	水资源总量（亿立方米）	多年平均产水模数（万立方米/平方公里）
流域分区	祖厉河	597	391	0.098	0.025	0.025	0.098	1.642
	清水河	13511	335	1.886	0.796	0.796	1.886	1.396
	苦水河	4942	248	0.146	0.150	0.150	0.146	0.295
	红柳沟	1064	253	0.065	0.011	0.011	0.065	0.611
	黄河右岸区间	6067	199	0.161	0.169	0.169	0.161	0.265
	黄河左岸区间	1262	178	0.039	0.014	0.014	0.039	0.309
	引黄灌区	6573	179	1.490	25.155	24.133	2.512	3.822
	贺兰山东麓	4109	202	0.635	1.716	0.750	1.601	3.896
	葫芦河	3281	457	1.532	0.677	0.677	1.532	4.669
	泾河干流	1050	650	1.999	1.290	1.290	1.999	19.038
	马莲河	775	324	0.083	0.012	0.012	0.083	1.071
	洪、茹、蒲河	3130	476	1.182	0.481	0.481	1.182	3.776
	盐池内区流	5032	250	0.168	0.236	0.085	0.319	0.634
	甘塘内陆区	407	171	0.009	0.001	0	0.010	0.246
行政分区	银川市	7180	197	0.866	10.744	9.828	1.782	2.482
	石嘴山市	4454	189	0.846	5.113	4.436	1.523	3.419
	吴忠市	16543	252	1.004	6.330	5.930	1.404	0.849
	中卫市	12330	259	0.973	5.639	5.492	1.120	0.908
	固原市	11293	472	5.804	2.907	2.907	5.804	5.139
	宁夏	51800	289	9.493	30.733	28.593	11.633	2.246

宁夏多年平均降水量149.491亿立方米(合降水深289毫米)。只有6.3%形成河川径流，有93.7%消耗于地表水体、植被和土壤的蒸散发以及潜水蒸发，多年平均径流量9.493亿立方米，(折合径流深18.3毫米)，有47.8%即4.54亿立方米由地下水所补给。多年平均总蒸发量(陆地蒸发)140.0亿立方米，占降水量有93.7%，其中只有1.4%(即2.14亿立方米)为潜水蒸发量，有92.2%的降水量(即137.86亿立方米)为地表蒸散发量。宁夏水资源总量为11.633亿立方米，占降水总量7.8%，其中河川基流量与潜水蒸发量占57.4%，即6.68亿立方米；其余42.6%，即4.95亿立方米为地表径流量。通过以上水量平衡分析可看出宁夏区内三水转化关系。总资源量与河川径流量的差值即为潜水蒸发量，其量为2.14亿立方米，此数也就是宁夏区内地下水与地表水的不重复计算量。

5.5 平原区地下水资源

平原地下水资源多少主要取决于渠道引水量。各分区地下水资源模数大小与单位面积引水量有关，引水量多的卫宁灌区和银南灌区地下水资源模数分别为55万立方米/(年·平方米)和50万立方米/(年·平方米)；引水量相对少的银北地区地下水资源模数平均为30万立方米/(年·平方米)；倾斜平原地下水资源模数平均为10万立方米/(年·平方米)。

在平原区地下水总量组成中，降水入渗补给量1.46亿立方米/年，仅占平原区地下水资源量的5.5%；山前侧向补给量1.09亿立方米/年，仅占平原区地下水资源量的4.1%；井灌回归补给量0.03亿立方米/年，仅占平原区地下水资源量的0.11%；其余由引黄渠系渗漏和田间灌溉入渗产生的补给量占平原区地下水资源量的90.3%。地下水资源量主要靠黄河水灌溉回归补给。平原区地下水资源是黄河水资源的重复计算，是由于引水灌溉水资源的有效利用率不高造成的。今后随着渠系防渗、节水技术推广应用，引用黄河水量的减少，地下水补给量将减少。

6 动植物概况

6.1 植物概况

受水热条件，特别是水分因素的制约，自南向北，宁夏自然植被呈现森林草原—干草原—荒漠草原—荒漠的水平分布规律。其中森林草原分布于半湿润的六盘山地区，由山地植被和水平带植被结合组成；干草原分布于半干旱的黄土丘陵区；荒漠草原分布于中北部干旱地区，在灵盐台地因沙漠化影响出现大面积沙生植物群落；荒漠散见于卫宁北山、贺兰山北端东麓落石滩和陶罗东部的鄂尔多斯高原，群落中含旱生草原植被而具有一定的草原化性质。水平植被带中，在河滩、湖沼等低洼地生长有草甸、沼泽、盐生和水生植物群落。

宁夏植物区系地理成分以温带和北温带成分占优势，根据《中国植被》植被类型简表，按照宁夏植被现状和特征，宁夏有9个植被型30个亚型132个群系。

宁夏自然植被带植物区系成分简单，种类比较贫乏，根据《宁夏植物志》记载，宁夏有高等植物1839种，其中蕨类植物9科16属28种；裸子植物7科11属21种；被子植物112科582属1790种。

上述植物中，国家Ⅱ级保护植物有四合木、星叶草、半日花、裸果木4种，国家Ⅲ级保护植物有胡杨、沙冬青、蒙古扁桃、羽叶丁香、蒙古岩黄芪、野大豆、发菜、草苁蓉、水曲柳、桃儿七、梭梭及黄芪等13种。

6.2 动物概况

在动物地理区划中，宁夏古北界的跨华北区黄土高原亚区、蒙新区东部草原亚区和西部荒漠亚区，境内又分为贺兰山地、宁中间山盆地丘陵及北部平原、宁南黄土丘陵和六盘山地四个动物地理省，相应的生态动物群为：温带山地森林—森林草原—半荒漠动物群、温带半荒漠动物群及河流湖泊—农区动物群、温带草原动物群、温带山地森林—森林草原动物群。

宁夏陆生野生动物主要分布在贺兰山地和六盘山地，宁中间山盆地丘陵及北部平原多以鸟类和兽类以及爬行类、哺乳类中的啮齿目、兔形目为多，大部分鸟类和兽类均为重点保护动物，宁南黄土丘陵区野生动物种类和数量较少。

根据《宁夏脊椎动物志》记载，宁夏脊椎动物共有415种，其中鱼类3目5科31种，以鲤形目鲤科的种类占有绝对优势，鳅科次之；两栖类1目3科6种；爬行类2目8科19种，全为古北界种；鸟类17目40科285种；哺乳动物5目6科74种。

上述野生动物中，国家Ⅰ级保护动物有黑鹳、中华秋沙鸭、金雕、白尾海雕、胡兀鹫、小鸨、大鸨、金钱豹8种；国家Ⅱ级保护动物有角䴙䴘、斑嘴鹈鹕、白琵鹭、鸳鸯、大天鹅、小天鹅、鸢、蜂鹰、苍鹰、松雀鹰、大鵟、草原雕、兀鹫、秃鹫、白尾鹞、游隼、猎隼、燕隼、红脚隼、红隼、灰鹤、蓑羽鹤、黑浮鸥、雕鸮、纵纹腹小鸮、长耳鸮、短耳鸮、红角鸮、蓝马鸡、勺鸡、红腹锦鸡、石貂、豺、兔狲、荒漠猫、猞猁、马麝、林麝、马鹿、岩羊、黄羊、盘羊42种。

第二节　社会经济状况

1　行政区划、人口、民族

宁夏下辖5个地级市，9个市辖区、2个县级市、11个县。其中，银川市下辖兴庆区、金凤区、西夏区、灵武市、永宁县、贺兰县；石嘴山市下辖大武口区、惠农区、平罗县；吴忠市下辖利通区、青铜峡市、同心县、盐池县、红寺堡区；固原市下辖原州区、西吉县、隆德县、泾源县、彭阳县；中卫下辖沙坡头区、中宁县、海原县(表1-12)。

表1-12　宁夏行政区划表

省辖市	县(市、区)名称
银川市	兴庆区、金凤区、西夏区、永宁县、贺兰县、灵武市
石嘴山市	大武口区、惠农区、平罗县
吴忠市	利通区、青铜峡市、盐池县、同心县、红寺堡区
中卫市	沙坡头区、中宁县、海原县
固原市	原州区、泾源县、隆德县、西吉县、彭阳县

资料来源：《宁夏行政区划》(2009)。

宁夏人口618万，以汉族为主，回族在少数民族中人口最多，占总人口的36%。

2　经济发展及工农业生产情况

据《宁夏2012年国民经济和社会发展统计公报》，2012年宁夏实现生产总值2326.64亿元，按可比价格计算，比上年增长11.5%。其中，第一产业增加值200.16亿元，增长5.6%；第二产业增加值1158.58亿元，增长13.8%；第三产业增加值967.90亿元，增长9.7%。按常住人口计算，宁夏人均生产总值达到36166元，按可比价格计算，增长10.3%。

工业发展势头良好。全年完成规模以上工业增加值818.24亿元，比上年增长14.0%。按经济类型分，国有及国有控股企业增加值275.97亿元，增长8.0%；股份制企业增加值430.09亿元，增长16.1%；外商及港澳台商投资企业增加值24.55亿元，下降6.0%。按轻重工业分，轻工业增加值98.45亿元，增长8.6%；重工业增加值719.79亿元，增长14.8%。

农业保持强劲增长。全年完成农业总产值385.9亿元，比上年增长5.7%；全年粮食总产量375.03万吨，增长4.5%，实现连续9年增产，再创历史新高。全年枸杞栽培面积增长11.3%，西甜瓜栽培面积增长3.4%，红枣面积增长41.9%，葡萄面积增长44.0%，蔬菜面积增长7.4%。清真肉牛饲养量增长5.0%，清真肉羊饲量增长7.7%，水产养殖面积增长17.2%；小麦、水稻、玉米等优质粮食面积增长3.8%；肉类总产量26.12万吨，增长5.6%；禽蛋产量6.18万吨，下降15.2%，牛奶产量103.49万吨，增长7.8%。

2012年年末宁夏育苗面积42.47万亩，比上年增长19.5%。其中，本年新育苗面积12.18万亩。2012年末实有封山（沙）育林面积439.46万亩，比上年增长15.3%；完成人工造林80.15万亩。

第二章 湿地类型

第一节 湿地类型与面积

1 湿地概况

宁夏湿地总面积为20.72万公顷，其中自然湿地(包括河流湿地、湖泊湿地、沼泽湿地)16.95万公顷，占湿地总面积81.80%，人工湿地3.77万公顷，占湿地总面积18.20%(不包括2009年宁夏常年水稻面积6.67万公顷)，见表2-1。

表2-1 宁夏湿地类型面积统计表

湿地类	湿地型	面积(公顷)	湿地型比例(%)	湿地类面积(公顷)	湿地类比例(%)
河流湿地	永久性河流	31788.25	15.34	97904.89	47.25
	季节性或间歇性河流	17017.77	8.21		
	洪泛平原湿地	49098.87	23.70		
湖泊湿地	永久性淡水湖	20122.04	9.71	33500.14	16.17
	永久性咸水湖	1047.40	0.51		
	季节性淡水湖	1522.75	0.74		
	季节性咸水湖	10807.95	5.22		
沼泽湿地	草本沼泽	9183.20	4.43	38067.84	18.38
	灌丛沼泽	1777.60	0.86		
	内陆盐沼	7630.96	3.68		
	季节性咸水沼泽	19476.08	9.40		
人工湿地	库塘	12526.28	6.05	37698.52	18.20
	运河/输水河	9720.76	4.69		
	水产养殖场	15451.48	7.46		
合　计		207171.39	100	207171.39	100

注：永久性河流、季节性或间歇性河流、运河输水河湿地分别包含线状数据12360.95公顷、12363.10公顷、9153.00公顷。

1.1 各湿地类型及其面积

宁夏有湿地4类14型，其中自然湿地有河流湿地、湖泊湿地和沼泽湿地3类11型，人工湿地有库塘、运河/输水河、水产养殖场3型。

按湿地类分，宁夏有河流湿地97904.89公顷，占湿地总面积47.25%；湖泊湿地33500.14公顷，占湿地总面积16.17%；沼泽湿地38067.84公顷，占湿地总面积18.38%；人工湿地37698.52公顷，占湿地总面积的18.20%(图2-1)。

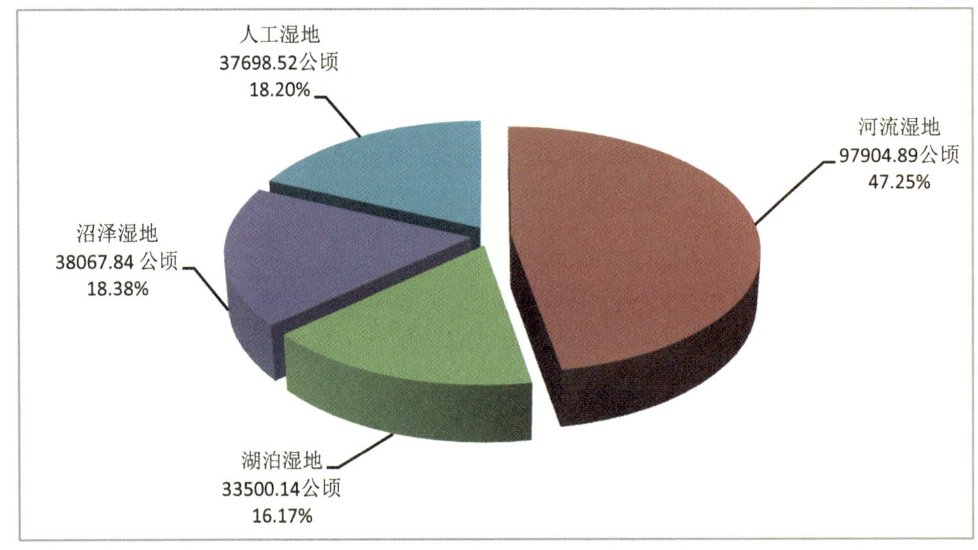

图2-1 宁夏湿地各湿地类比例图

按湿地型分，宁夏有永久性河流湿地3.18万公顷，占15.34%；季节性或间歇性河流湿地1.70万公顷，占8.21%；洪泛平原湿地4.91万公顷，占23.70%；永久性淡水湖湿地2.01万公顷，占9.71%；永久性咸水湖湿地0.11万公顷，占0.51%；季节性淡水湖湿地0.15万公顷，占

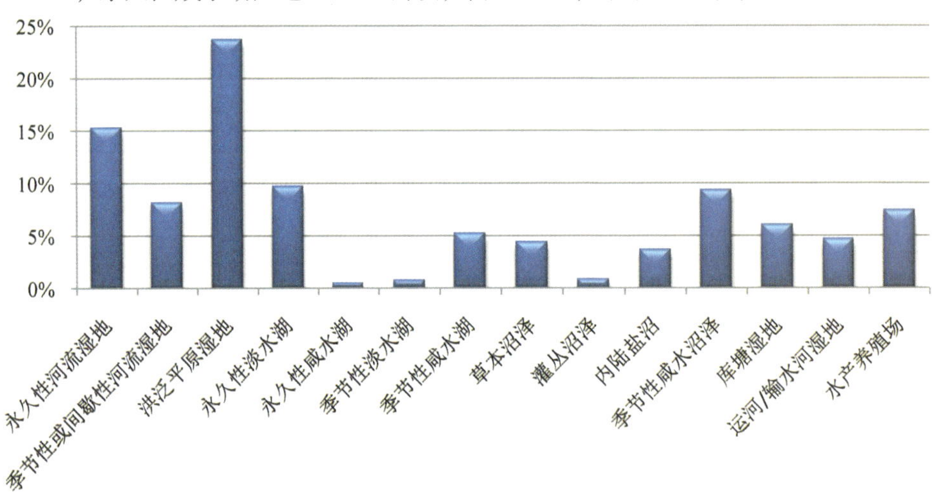

图2-2 宁夏湿地各湿地型比例图

0.74%；季节性咸水湖湿地1.08万公顷，占5.22%；草本沼泽0.92万公顷，占4.43%；灌丛沼泽0.18万公顷，占0.86%；内陆盐沼0.76万公顷，占3.68%；季节性咸水沼泽1.95万公顷，占9.40%；库塘湿地1.25万公顷，占6.05%；运河/输水河湿地0.97万公顷，占4.69%；水产养殖场1.55万公顷，占7.46%(图2-2)。

1.2　各流域的湿地类及面积

根据水利部全国一、二、三级流域分类规定，宁夏划分为1个一级流域、3个二级流域、6个三级流域，见表2-2。

宁夏湿地资源全部都在黄河流域范围内，按二级流域划分面积最大的是兰州至河口镇流域，其次是龙门至三门峡流域，第三是内流区。按三级流域划分，面积最大的下河沿至石嘴山流域，其次是清水河与苦水河流域，第三是内流区，兰州至下河沿流域无湿地分布。

表2-2　宁夏一、二、三级流域及其代码

代码	一级流域	代码	二级流域	代码	三级流域	包括县(市、区)
6	黄河区	25	内流区	60	内流区	沙坡头区(甘塘)、盐池县、灵武市(马家滩)
		26	兰州至河口镇	69	下河沿至石嘴山	中宁市、青铜峡市、利通区、灵武市、永宁县、西夏区、兴庆区、金凤区、贺兰县、平罗县、大武口区、惠农区
				83	清水河与苦水河	原州区、海原县、沙坡头区(蒿川乡)、西吉县(偏城、白崖)、同心县、红寺堡区(太阳山镇)、盐池县(惠安堡)、灵武市(白土岗乡)
				89	兰州至下河沿	西吉县(田坪、红耀)、沙坡头区、
		28	龙门至三门峡	91	泾河张家山以上	泾源县、彭阳县、原州区(河川、官厅)、盐池县(麻黄山乡)
				99	渭河宝鸡峡以上	西吉县、隆德县、原州区(张易)

1.3　各湿地区的湿地类及面积

根据《全国湿地资源调查技术规程(试行)》要求，宁夏划为37个湿地区，其中单独区划的湿地区(重点调查湿地)15个，零星湿地区(以县为单位区划)22个。各流域湿地面积见表2-3和图2-3。在单独区划的(下面排序既有单独区划又有零星应该去掉单独区划的字样)湿地区中湿地面积最大的是天河湾湿地区，银川平原湿地区次之，第三是平罗县零星湿地区。河流湿地面积最大的依次为天河湾湿地区、银川平原湿地区和卫宁平原湿地区。湖泊湿地主要分布在盐池县零星湿地区、沙湖湿地区和贺兰县零星湿地区；沼泽湿地主要分布在平罗县零星湿地区、哈巴湖国家级自然保护区（哈巴湖湿地区）和沙湖湿地区；人工湿地在大部分湿地区均有分布，其中面积最大的是贺兰县零星湿地区，永宁县零星湿地区次之，第三为平罗县零星湿地区（表 2-4）。

表 2-3 宁夏各流域湿地面积统计表（公顷）

一级流域	二级流域	三级流域	河流湿地	湖泊湿地	沼泽湿地	人工湿地	合计	百分比（%）
黄河区	内流区	内流区	403.44	683.27	5600.29	58.02	6745.02	3.25
	兰州至河口镇	下河沿至石嘴山	71472.22	21977.83	25637.98	30494.52	149582.55	72.20
		清水河与苦水河	20611.65	10482.28	6251.85	4558.02	41903.80	20.23
		兰州至下河沿	76.49		491.86	68.11	636.46	0.31
	龙门至三门峡	泾河张家山以上	2401.56	51.64		794.19	3247.39	1.57
		渭河宝鸡峡以上	2939.53	305.12	85.86	1725.66	5056.17	2.44
合计			97904.89	33500.14	38067.84	37698.52	207171.39	100

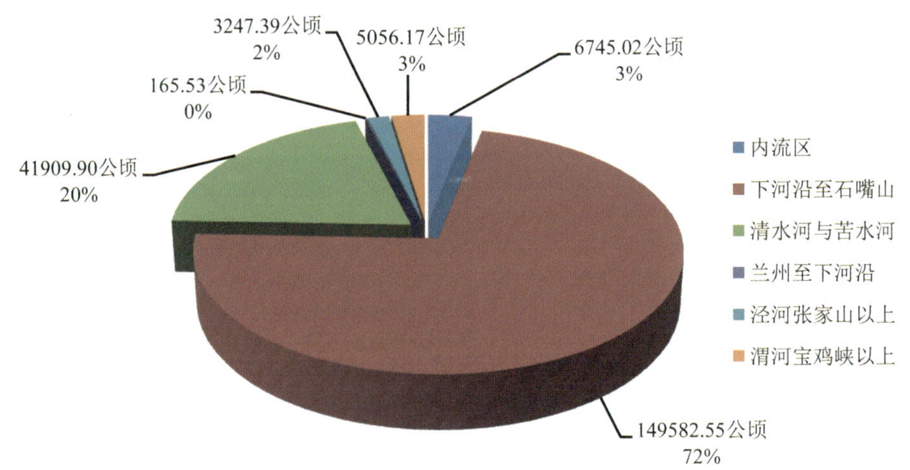

图 **2-3** 宁夏各流域湿地面积比例图

表 2-4 宁夏各湿地区湿地面积统计表（公顷）

湿地区 \ 湿地类型	合　计	河流湿地	湖泊湿地	沼泽湿地	人工湿地
合　计	207171.39	97904.89	33500.14	38067.84	37698.52
星海湖湿地区	3283.91		2426.25	538.68	318.98
天河湾湿地区	23110.51	23110.51			
银川平原湿地区	16269.10	15984.96	284.14		
黄沙古渡湿地区	2265.68	1781.24		484.44	

（续）

湿地区＼湿地类型	合计	河流湿地	湖泊湿地	沼泽湿地	人工湿地
沙湖湿地区	8602.23		3409.64	4057.30	1135.29
阅海湿地区	3198.37		2038.09	492.99	667.29
鸣翠湖湿地区	1344.09		240.39	328.60	775.10
鹤泉湖湿地区	667.00		252.38	280.55	134.07
吴忠黄河湿地区	5401.26	4484.95	916.31		
哈巴湖湿地区	10720.88	201.99	3294.29	7224.60	
青铜峡库区湿地区	11811.29	8645.27	1361.35		1804.67
腾格里湿地区	3226.34		1149.16	1846.83	230.35
卫宁平原湿地区	12374.91	11623.96	585.04		165.91
天湖湿地区	2956.08		742.28	2213.80	
震湖湿地区	358.39		272.53	85.86	
大武口区零星湿地区	1958.45	341.37	66.25	1078.75	472.08
惠农区零星湿地区	6022.30	341.71	921.57	2845.78	1913.24
平罗县零星湿地区	12631.84	181.62	1068.14	8660.34	2721.74
兴庆区零星湿地区	2371.87	169.34	294.83	496.84	1410.86
金凤区零星湿地区	1549.81		427.93	42.51	1079.37
西夏区零星湿地区	2921.56	87.97	286.23	172.09	2375.27
永宁县零星湿地区	4116.58	72.20	594.39	189.88	3260.11
贺兰县零星湿地区	10336.41	85.24	3322.52	1321.84	5606.81
灵武市零星湿地区	6851.29	3096.27	1799.04		1955.98
利通区零星湿地区	2300.22	1375.33	48.57	104.51	771.81
青铜峡市零星湿地区	5801.55	2418.32	450.17	596.12	2336.94
红寺堡区零星湿地区	1807.93	1783.00	24.93		
盐池县零星湿地区	11681.40	1155.30	5964.86	3818.15	743.09
同心县零星湿地区	4092.42	3595.97	89.10	77.74	329.61
沙坡头区零星湿地区	3468.14	1698.24	257.99	710.70	801.21
中宁县零星湿地区	3886.60	2384.86	210.82	378.01	912.91
海原县零星湿地区	8235.92	5521.16	608.16		2106.60
原州区零星湿地区	3785.49	2635.16	8.56		1141.77
西吉县零星湿地区	4207.42	2773.98	32.59	20.93	1379.92

（续）

湿地区 \ 湿地类型	合计	河流湿地	湖泊湿地	沼泽湿地	人工湿地
隆德县零星湿地区	867.93	430.75			437.18
泾源县零星湿地区	826.81	718.64	51.64		56.53
彭阳县零星湿地区	1859.41	1205.58			653.83

1.4 各行政区的湿地类及面积

根据行政划分，宁夏共有5个地级市22个县(市、区)。湿地资源分布由北向南呈递减的趋势，5个地级市湿地面积占宁夏的比例分别为：石嘴山市湿地面积5.51万公顷，占宁夏湿地总面积的26.56%；银川市湿地面积5.31万公顷，占宁夏湿地总面积的25.64%；吴忠市湿地面积5.16万公顷，占宁夏湿地总面积的24.90%；中卫市湿地面积3.55万公顷，占宁夏湿地总面积的17.15%；固原市湿地面积1.19万公顷，占宁夏湿地总面积的5.75%。

22个县(市、区)的湿地总面积前三位的是平罗县、盐池县和青铜峡市。

宁夏22个县(市、区)湿地分布状况(图2-4，表2-5)。

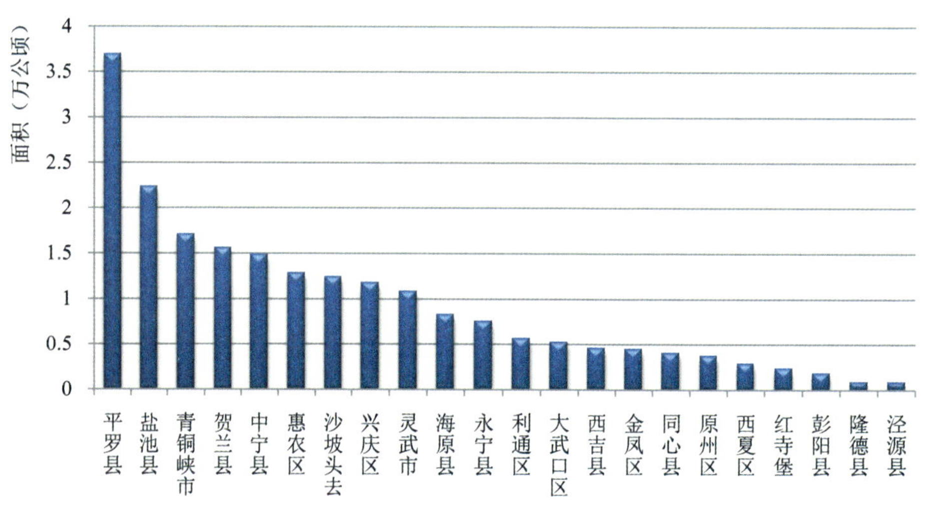

图2-4 宁夏各行政区湿地面积排序柱状图(万公顷)

表2-5 宁夏各行政区湿地面积统计表(公顷)

行政区 \ 湿地类型		合计	河流湿地	湖泊湿地	沼泽湿地	人工湿地
宁夏合计		207171.39	97904.89	33500.14	38067.84	37698.52
银川市	合计	53112.51	21927.01	9661.28	4259.36	17264.86
	兴庆区	11745.14	7786.70	657.17	1197.69	2103.58
	金凤区	4522.07		2239.91	535.50	1746.66

（续）

湿地区 \ 湿地类型		合　计	河流湿地	湖泊湿地	沼泽湿地	人工湿地
银川市	西夏区	2921.56	87.97	286.23	172.09	2375.27
	永宁县	7588.05	2517.02	1011.85	582.62	3476.56
	贺兰县	15541.21	4614.80	3548.14	1771.46	5606.81
	灵武市	10794.48	6920.52	1917.98		1955.98
吴忠市	合　计	51588.89	21388.43	11985.29	12415.40	5799.77
	利通区	5598.00	4087.96	633.72	104.51	771.81
	青铜峡市	17093.98	10564.21	1978.39	596.12	3955.26
	盐池县	22402.28	1357.29	9259.15	11042.75	743.09
	红寺堡区	2402.21	1783.00	24.93	594.28	
	同心县	4092.42	3595.97	89.10	77.74	329.61
中卫市	合　计	35526.26	22850.13	3717.74	4555.06	4403.33
	沙坡头区	12462.98	7227.17	1480.81	2557.53	1197.47
	中宁县	14827.36	10101.80	1628.77	1997.53	1099.26
	海原县	8235.92	5521.16	608.16		2106.60
石嘴山市	合　计	55038.28	23975.21	7770.51	16731.23	6561.33
	大武口区	5242.36	341.37	2492.50	1617.43	791.06
	惠农区	12801.12	7120.53	921.57	2845.78	1913.24
	平罗县	36994.80	16513.31	4356.44	12268.02	3857.03
固原市	合　计	11905.45	7764.11	365.32	106.79	3669.23
	原州区	3785.49	2635.16	8.56		1141.77
	西吉县	4565.81	2773.98	305.12	106.79	1379.92
	隆德县	867.93	430.75			437.18
	泾源县	826.81	718.64	51.64		56.53
	彭阳县	1859.41	1205.58			653.83

2　河流湿地

2.1　河流各湿地型及面积

宁夏河流湿地共9.79万公顷，包括永久性河流、季节性或间歇性河流和洪泛平原湿地三个湿地型，河流湿地各类型比例如图2-5。

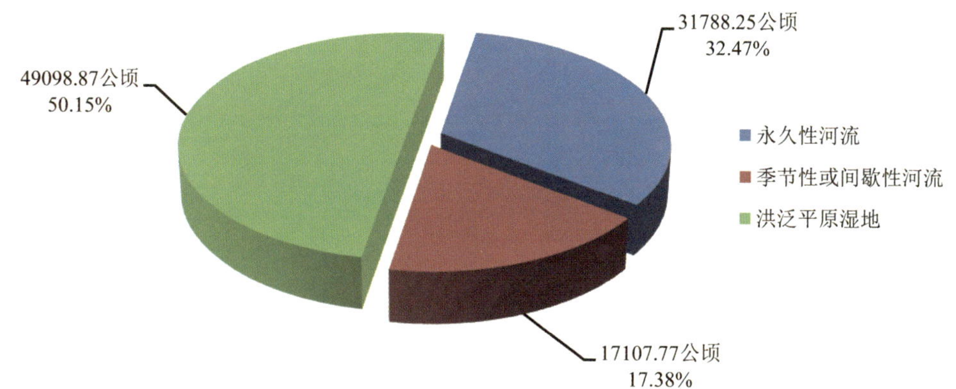

图 **2-5** 宁夏河流湿地类型比例图

2.1.1 永久性河流湿地

永久性河流湿地指常年有河水径流的河流，仅包括河床部分。宁夏永久性河流湿地主要包括黄河及其支流清水河流域内的大小河流，总面积 3.18 万公顷，占河流湿地总面积的 32.47%。

2.1.2 季节性或间歇性河流湿地

季节性或间歇性河流指一年中只有季节性(雨季)或间歇性有水径流的河流。宁夏季节性或间歇性河流湿地主要分布在清水河流域、卫宁平原、银川平原的引黄沟渠，总面积 1.70 万公顷，占河流湿地总面积的 17.38%。

2.1.3 洪泛平原湿地

洪泛平原湿地指在丰水季节由洪水泛滥的河滩、河心洲、河谷、季节性泛滥的草地以及保持了常年或季节性被水浸润内陆三角洲所组成。宁夏洪泛平原湿地主要分布在卫宁平原和银川平原，总面积 4.91 万公顷，占河流湿地总面积的 50.15%。

2.2 各流域的河流湿地型及面积

宁夏河流湿地分布在黄河流域下河沿至石嘴山流域、清水河与苦水河流域。各流域湿地类型和面积见表 2-6 和图 2-6。

表 2-6 宁夏各流域河流湿地面积和类型统计表(公顷)

一级流域	二级流域	三级流域	永久性河流	季节性或间歇性河流	洪泛平原湿地	合　计	百分比(%)
黄河区	内流区	内流区		403.44		403.44	0.41
	兰州至河口镇	下河沿至石嘴山	17749.87	5349.25	48373.10	71472.22	73.00
		清水河与苦水河	11106.88	8855.49	649.28	20611.65	21.06
		兰州至下河沿			76.49	76.49	0.08
	龙门至三门峡	泾河张家山以上	1971.34	430.22		2401.56	2.45
		渭河宝鸡峡以上	960.16	1979.37		2939.53	3.00
合　计			31788.25	17017.77	49098.87	97904.89	100

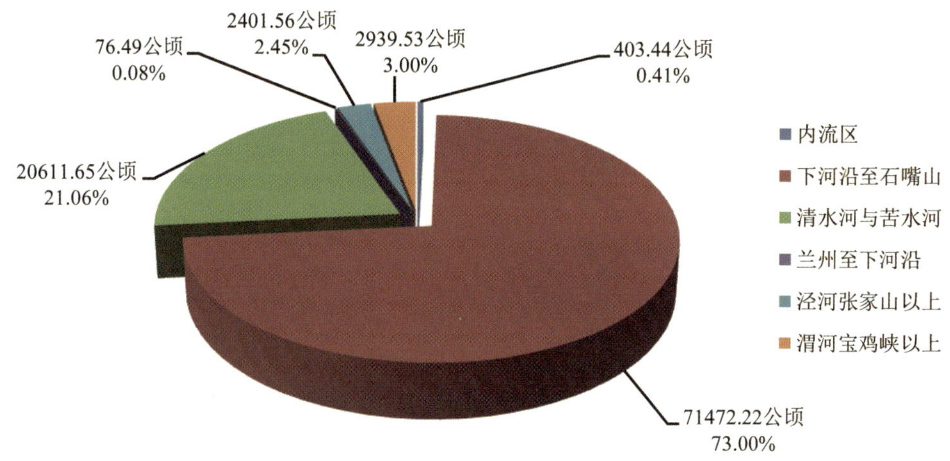

图 **2-6** 宁夏各流域河流湿地比例图

各个流域中，永久性河流湿地面积最大的是下河沿至石嘴山流域，最小的是渭河宝鸡峡以上流域；季节性或间歇性河流湿地面积最大的是清水河与苦水河流域，最小的是内流区流域；洪泛平原湿地面积最大的是下河沿至石嘴山，最小的是兰州至下河沿流域。

2.3 各湿地区的河流湿地型及面积

河流湿地面积最大的湿地区依次为天河湾湿地区、银川平原湿地区和卫宁平原湿地区。永久性河流湿地面积最大的是卫宁平原湿地区，季节性或间歇性河流湿地面积最大的是灵武市零星湿地区，洪泛平原湿地面积最大的是天河湾湿地区。各湿地区河流湿地类型及面积见表 2-7。

表 2-7 宁夏各湿地区河流湿地概况表(公顷)

湿地类型 / 湿地区	合 计	永久性河流	季节性或间歇性河流	洪泛平原湿地
合 计	97904.89	31788.25	17017.77	49098.87
星海湖湿地区				
天河湾湿地区	23110.51	4754.86		18355.65
银川平原湿地区	15984.96	4230.07		11754.89
黄沙古渡湿地区	1781.24			1781.24
沙湖湿地区				
阅海湿地区				
鸣翠湖湿地区				
鹤泉湖湿地区				
吴忠黄河湿地区	4484.95	2485.07		1999.88
哈巴湖湿地区	201.99		201.99	

（续）

湿地区 \ 湿地类型	合　计	永久性河流	季节性或间歇性河流	洪泛平原湿地
青铜峡库区湿地区	8645.27		254.18	8391.09
腾格里湿地区				
卫宁平原湿地区	11623.96	5739.24		5884.72
天湖湿地区				
震湖湿地区				
大武口区零星湿地区	341.37		341.37	
惠农区零星湿地区	341.71		341.71	
平罗县零星湿地区	181.62		181.62	
兴庆区零星湿地区	169.34		169.34	
金凤区零星湿地区				
西夏区零星湿地区	87.97		87.97	
永宁县零星湿地区	72.20		72.20	
贺兰县零星湿地区	85.24		85.24	
灵武市零星湿地区	3096.27	722.10	2374.17	
利通区零星湿地区	1375.33	1243.50	131.83	
青铜峡市零星湿地区	2418.32	200.89	1935.31	282.12
红寺堡区零星湿地区	1783.00	509.24	1273.76	
盐池县零星湿地区	1155.30	146.47	749.04	259.79
同心县零星湿地区	3595.97	1898.11	1556.88	140.98
沙坡头区零星湿地区	1698.24	776.63	921.61	
中宁县零星湿地区	2384.86	1103.36	1281.50	
海原县零星湿地区	5521.16	2994.09	2278.56	248.51
原州区零星湿地区	2635.16	2011.71	623.45	
西吉县零星湿地区	2774.00	800.54	1973.46	
隆德县零星湿地区	430.75	388.61	42.14	
泾源县零星湿地区	718.64	653.68	64.96	
彭阳县零星湿地区	1205.58	1130.10	75.48	

2.4 各行政区的河流湿地型及面积

宁夏河流湿地主要分布在黄河及其支流清水河沿岸各县(市、区)，河流湿地面积最大的是平罗县，其次是青铜峡市，第三位是中宁县(表2-8)。

表 2-8　宁夏各行政区河流湿地统计表(公顷)

行政区 \ 湿地类型		合　计	永久性河流	季节性或间歇性河流	洪泛平原湿地
宁夏合计		97904.89	31788.25	17017.77	49098.87
银川市	合　计	21927.01	5189.82	2788.92	13948.27
	兴庆区	7786.70	1552.61	169.34	6064.75
	金凤区				
	西夏区	87.97		87.97	
	永宁县	2517.02	834.68	72.20	1610.14
	贺兰县	4614.80	887.59	85.24	3641.97
	灵武市	6920.52	1914.94	2374.17	2631.41
吴忠市	合　计	21388.43	6245.63	6102.99	9039.81
	利通区	4087.96	2620.19	131.83	1335.94
	青铜峡市	10564.21	1071.62	2189.49	7303.10
	盐池县	1357.29	146.47	951.03	259.79
	红寺堡区	1783.00	509.24	1273.76	
	同心县	3595.97	1898.11	1556.88	140.98
中卫市	合　计	22850.13	10613.32	4481.67	7755.14
	沙坡头区	7227.17	4306.74	921.61	1998.82
	中宁县	10101.80	3312.49	1281.50	5507.81
	海原县	5521.16	2994.09	2278.56	248.51
石嘴山市	合　计	23975.21	4754.86	864.70	18355.65
	大武口区	341.37		341.37	
	惠农区	7120.53	1351.64	341.71	5427.18
	平罗县	16513.31	3403.22	181.62	12928.47
固原市	合　计	7764.11	4984.62	2779.49	
	原州区	2635.16	2011.71	623.45	
	西吉县	2773.98	800.52	1973.46	
	隆德县	430.75	388.61	42.14	
	泾源县	718.64	653.68	64.96	
	彭阳县	1205.58	1130.10	75.48	

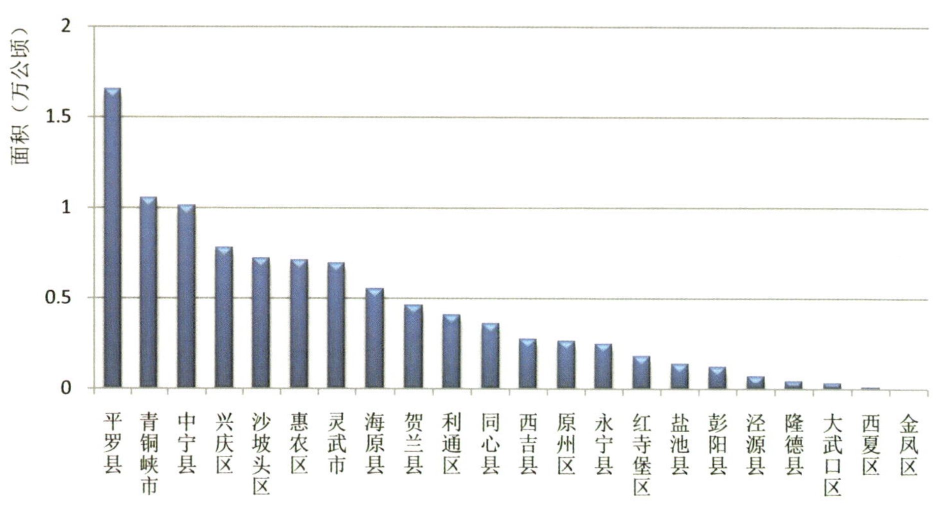

图 **2-7** 宁夏各行政区河流湿地面积排序图

3 湖泊湿地

湖泊是湖盆、湖水、水中所含物质(矿物质、溶解质、有机质以及水生生物等)组成的自然综合体。

3.1 湖泊各湿地型及面积

宁夏湖泊湿地总面积 3.35 万公顷，其中永久性淡水湖 2.01 万公顷，永久性咸水湖 0.11 万公顷，季节性淡水湖 0.15 万公顷，季节性咸水湖 1.08 万公顷(图 2-8)。

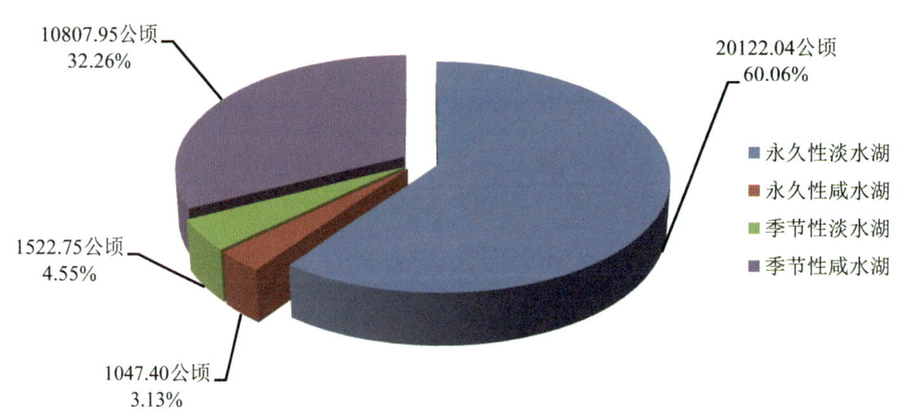

图 **2-8** 宁夏湖泊湿地型比例图

3.2 各流域的湖泊湿地型及面积

按三级流域划分，宁夏湖泊湿地主要分布在下河沿至石嘴山流域(占湖泊湿地总面积的 65.61%)和清水河与苦水河流域(占湖泊湿地总面积的 31.29%)，见表 2-9 和图 2-9。

表 2-9 宁夏各流域湖泊湿地类型及面积统计表(公顷)

一级流域	二级流域	三级流域	永久性淡水湖	永久性咸水湖	季节性淡水湖	季节性咸水湖	合 计
黄河区	内流区	内流区	11.78			671.49	683.27
	兰州至河口镇	下河沿至石嘴山	19878.56		1070.74	1028.53	21977.83
		清水河与苦水河	180.06	742.28	452.01	9107.93	10482.28
		兰州至下河沿					
	龙门至三门峡	泾河张家山以上	51.64				51.64
		渭河宝鸡峡以上		305.12			305.12
合计			20122.04	1047.40	1522.75	10807.95	33500.14

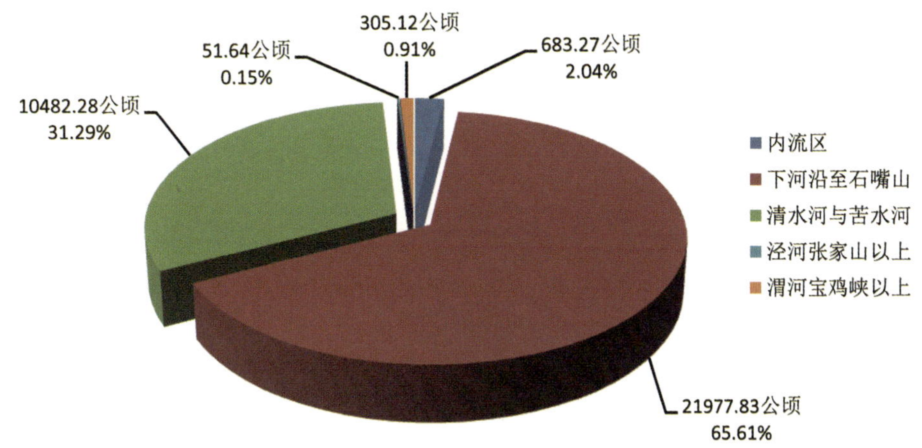

图 **2-9** 宁夏各流域湖泊湿地型比例构成图

3.3 各湿地区的湖泊湿地型及面积

湖泊湿地面积最大的是盐池县零星湿地区、贺兰县零星湿地区和沙湖湿地区。其中永久性淡水湖面积最大的是沙湖湿地区，永久性咸水湖面积最大的是天湖湿地区，季节性淡水湖面积最大的是盐池县零星湿地区，季节性咸水湖面积最大的是盐池县零星湿地区。

各湿地区的湖泊湿地的类型和面积见表 2-10。

表 2-10 宁夏各湿地区湖泊湿地统计表(公顷)

湿地类型 / 湿地区	合 计	永久性淡水湖	永久性咸水湖	季节性淡水湖	季节性咸水湖
合 计	33500.14	20122.04	1047.40	1522.75	10807.95
星海湖湿地区	2426.25	2426.25			
天河湾湿地区					
银川平原湿地区	284.14	284.14			
黄沙古渡湿地区					

（续）

湿地类型 湿地区	合　计	永久性淡水湖	永久性咸水湖	季节性淡水湖	季节性咸水湖
沙湖湿地区	3409.64	3409.64			
阅海湿地区	2038.09	2038.09			
鸣翠湖湿地区	240.39	240.39			
鹤泉湖湿地区	252.38	252.38			
吴忠黄河湿地区	916.31	916.31			
哈巴湖湿地区	3294.29				3294.29
青铜峡库区湿地区	1361.35	1361.35			
腾格里湿地区	1149.16	1149.16			
卫宁平原湿地区	585.04	585.04			
天湖湿地区	742.28		742.28		
震湖湿地区	272.53		272.53		
大武口区零星湿地区	66.25	66.25			
惠农区零星湿地区	921.57	445.27		407.48	68.82
平罗县零星湿地区	1068.14	809.04		259.10	
兴庆区零星湿地区	294.83	294.83			
金凤区零星湿地区	427.93	427.93			
西夏区零星湿地区	286.23	247.21		39.02	
永宁县零星湿地区	594.39	496.20		98.19	
贺兰县零星湿地区	3322.52	3322.52			
灵武市零星湿地区	1799.04	360.06		60.95	1378.03
利通区零星湿地区	48.57	48.57			
青铜峡市零星湿地区	450.17	322.12		128.05	
红寺堡区零星湿地区	24.93				24.93
盐池县零星湿地区	5964.86	49.90		481.24	5433.72
同心县零星湿地区	89.10	89.10			
沙坡头区零星湿地区	257.99	257.99			
中宁县零星湿地区	210.82	162.10		48.72	
海原县零星湿地区	608.16				608.16
原州区零星湿地区	8.56	8.56			
西吉县零星湿地区	32.59		32.59		
隆德县零星湿地区					
泾源县零星湿地区	51.64	51.64			
彭阳县零星湿地区					

3.4 各行政区的湖泊湿地型及面积

宁夏湖泊湿地主要集中分布石嘴山市、银川市、吴忠市和中卫市，各县(市、区)中湖泊湿地面积最大的三个县(市)区依次是盐池县、平罗县和贺兰县(表2-11，图2-10)。

表2-11 宁夏各行政区湖泊湿地类型及面积统计表(公顷)

行政区 \ 湿地类型		合 计	永久性淡水湖	永久性咸水湖	季节性淡水湖	季节性咸水湖
宁夏合计		33500.14	20122.04	1047.40	1522.75	10807.95
银川市	合 计	9661.28	8085.09		198.16	1378.03
	兴庆区	657.17	657.17			
	金凤区	2239.91	2239.91			
	西夏区	286.23	247.21		39.02	
	永宁县	1011.85	913.66		98.19	
	贺兰县	3548.14	3548.14			
	灵武市	1917.98	479.00		60.95	1378.03
吴忠市	合 计	11985.29	2623.06		609.29	8752.94
	利通区	633.72	633.72			
	青铜峡市	1978.39	1850.34		128.05	
	盐池县	9259.15	49.90		481.24	8728.01
	红寺堡区	24.93				24.93
	同心县	89.10	89.10			
中卫市	合 计	3717.74	2318.58	742.28	48.72	608.16
	沙坡头区	1480.81	1480.81			
	中宁县	1628.77	837.77	742.28	48.72	
	海原县	608.16				608.16
石嘴山市	合 计	7770.51	7035.11		666.58	68.82
	大武口区	2492.50	2492.50			
	惠农区	921.57	445.27		407.48	68.82
	平罗县	4356.44	4097.34		259.10	
固原市	合 计	365.32	60.20	305.12		
	原州区	8.56	8.56			
	西吉县	305.12		305.12		
	隆德县					
	泾源县	51.64	51.64			
	彭阳县					

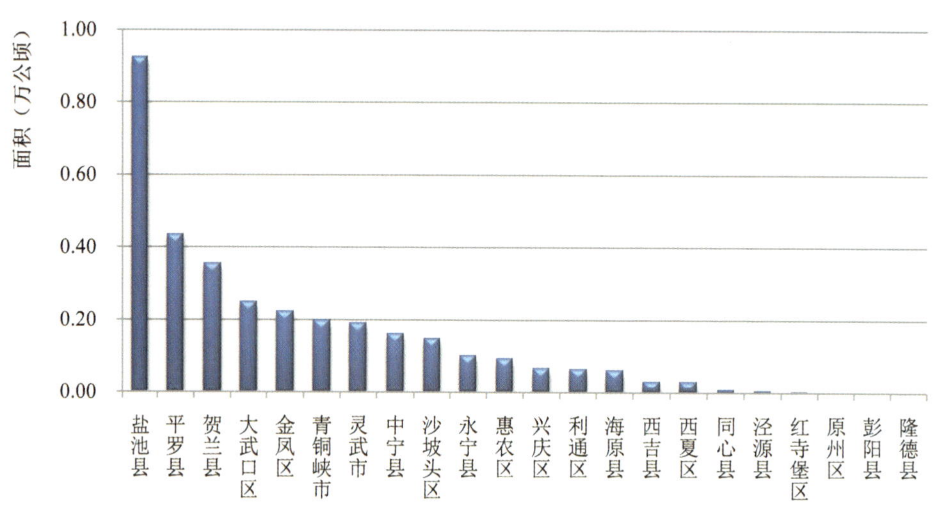

图 **2-10** 宁夏各行政区湖泊湿地面积排序图(公顷)

4 沼泽湿地

4.1 沼泽各湿地型及面积

宁夏沼泽湿地总面积共 3.81 万公顷，包括 4 个湿地型，分别是草本沼泽 0.92 万公顷，灌丛沼泽 0.18 万公顷，内陆盐沼 0.76 万公顷，季节性咸水沼泽 1.95 万公顷(图 2-11)。

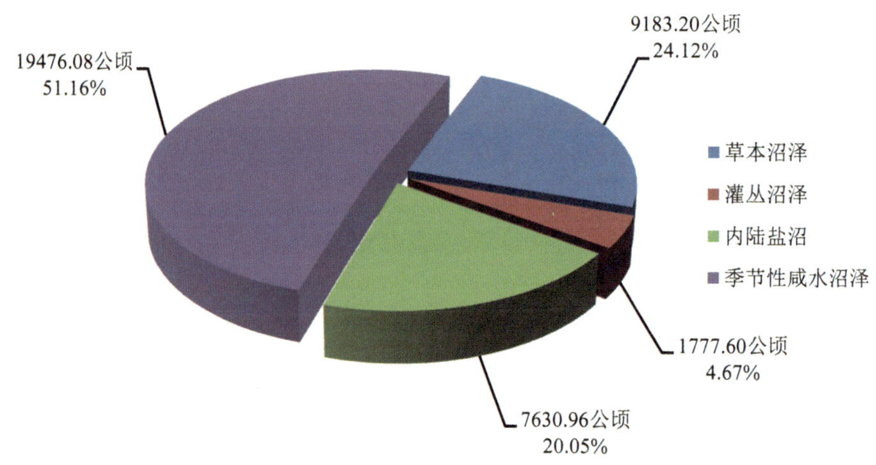

图 **2-11** 宁夏沼泽湿地型比例构成图

4.2 各流域的沼泽湿地型及面积

按三级流域划分，宁夏沼泽湿地主要分布在下河沿至石嘴山流域(占沼泽湿地总面积的 67.35%)和清水河与苦水河流域等(占沼泽湿地总面积的 16.42%)(表 2-12，图 2-12)。

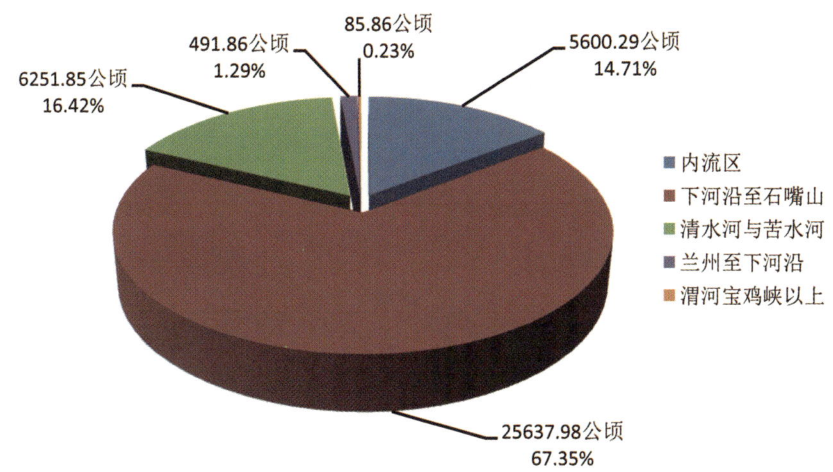

图 **2-12** 宁夏各流域沼泽湿地比例图

表 2-12 宁夏各流域沼泽湿地类型及面积统计表(公顷)

一级流域	二级流域	三级流域	草本沼泽	灌丛沼泽	内陆盐沼	季节性咸水沼泽	合　计
黄河区	内流区	内流区			3561. 30	2038. 99	5600. 29
	兰州至河口镇	下河沿至石嘴山	8829. 58		455. 61	16352. 79	25637. 98
		清水河与苦水河	246. 83	1777. 60	3143. 12	1084. 30	6251. 85
		兰州至下河沿	20. 93		470. 93		491. 86
	龙门至三门峡	泾河张家山以上					
		渭河宝鸡峡以上	85. 86				85. 86
合　计			9183. 20	1777. 60	7630. 96	19476. 08	38067. 84

4.3 各湿地区的沼泽湿地型及面积

宁夏沼泽湿地主要分布在平罗县零星湿地区、哈巴湖国家级自然保护区和沙湖湿地区。草本沼泽面积最大的是沙湖湿地区，灌丛沼泽面积最大的是天湖湿地区，内陆盐沼面积最大的是哈巴湖湿地区，季节性咸水沼泽面积最大的是平罗县零星湿地区(表 2-13)。

表 2-13 宁夏各湿地区沼泽湿地概况表(公顷)

湿地类型 / 湿地区	合　计	草本沼泽	灌丛沼泽	内陆盐沼	季节性咸水沼泽
合　计	38067. 84	9183. 20	1777. 60	7630. 96	19476. 08
星海湖湿地区	538. 68	538. 68			
天河湾湿地区					

（续）

湿地类型 湿地区	合 计	草本沼泽	灌丛沼泽	内陆盐沼	季节性咸水沼泽
银川平原湿地区					
黄沙古渡湿地区	484.44	79.43			405.01
沙湖湿地区	4057.30	2540.36			1516.94
阅海湿地区	492.99	492.99			
鸣翠湖湿地区	328.60	328.60			
鹤泉湖湿地区	280.55	280.55			
吴忠黄河湿地区					
哈巴湖湿地区	7224.60			4146.57	3078.03
青铜峡库区湿地区					
腾格里湿地区	1846.83				1846.83
卫宁平原湿地区					
天湖湿地区	2213.80	169.09	1777.60		267.11
震湖湿地区	85.86	85.86			
大武口区零星湿地区	1078.75	227.89			850.86
惠农区零星湿地区	2845.78	456.20			2389.58
平罗县零星湿地区	8660.34	1609.49			7050.85
兴庆区零星湿地区	496.84	240.00			256.84
金凤区零星湿地区	42.51	42.51			
西夏区零星湿地区	172.09	172.09			
永宁县零星湿地区	189.88	189.88			
贺兰县零星湿地区	1321.84	494.11			827.73
灵武市零星湿地区					
利通区零星湿地区	104.51	104.51			
青铜峡市零星湿地区	596.12	596.12			
红寺堡区零星湿地区					
盐池县零星湿地区	3818.15			3013.46	804.69
同心县零星湿地区	77.74	77.74			
沙坡头区零星湿地区	710.70	58.16		470.93	181.61
中宁县零星湿地区	378.01	378.01			
海原县零星湿地区					
原州区零星湿地区					
西吉县零星湿地区	20.93	20.93			
隆德县零星湿地区					
泾源县零星湿地区					
彭阳县零星湿地区					

4.4　各行政区的沼泽湿地型及面积

宁夏沼泽湿地主要集中分布于吴忠市和石嘴山市，各县(市、区)中沼泽湿地面积最大的3个单位依次是平罗县、盐池县和惠农区(表2-14、图2-13)。

表2-14　宁夏各行政区沼泽湿地类型及面积统计表(公顷)

行政区 \ 湿地类型		合　计	草本沼泽	灌丛沼泽	内陆盐沼	季节性咸水沼泽
宁夏合计		38067.84	9183.20	1777.60	7630.96	19476.08
银川市	合　计	4259.36	2769.78			1489.58
	兴庆区	1197.69	535.84			661.85
	金凤区	535.50	535.50			
	西夏区	172.09	172.09			
	永宁县	582.62	582.62			
	贺兰县	1771.46	943.73			827.73
	灵武市					
吴忠市	合　计	12415.40	778.37	594.28	7160.03	3882.72
	利通区	104.51	104.51			
	青铜峡市	596.12	596.12			
	盐池县	11042.75			7160.03	3882.72
	红寺堡区	594.28		594.28		
	同心县	77.74	77.74			
中卫市	合　计	4555.06	605.26	1183.32	470.93	2295.55
	沙坡头区	2557.53	58.16		470.93	2028.44
	中宁县	1997.53	547.10	1183.32		267.11
	海原县					
石嘴山市	合　计	16731.23	4923.00			11808.23
	大武口区	1617.43	766.57			850.86
	惠农区	2845.78	456.20			2389.58
	平罗县	12268.02	3700.23			8567.79
固原市	合计	106.79	106.79			
	原州区					
	彭阳县					
	泾源县					
	隆德县					
	西吉县	106.79	106.79			

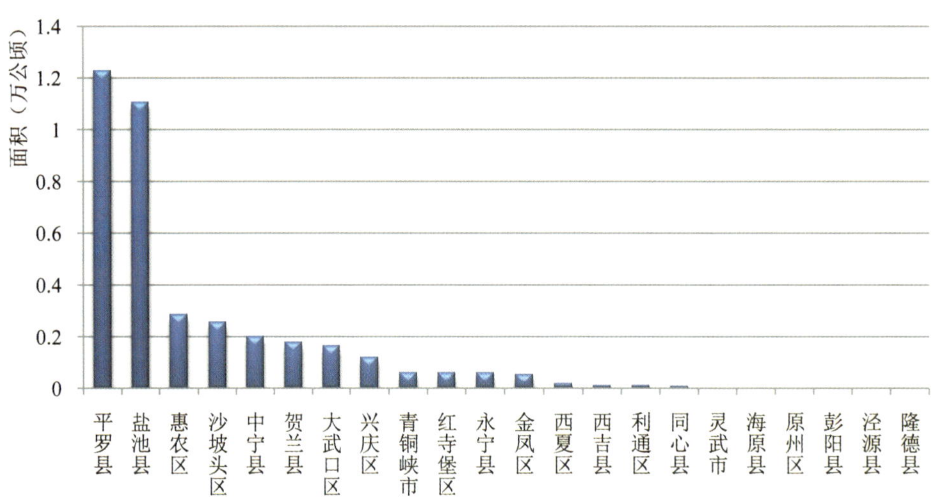

图 **2-13** 宁夏各行政区沼泽湿地面积排序图(公顷)

5 人工湿地

5.1 各人工湿地型及面积

宁夏人工湿地总面积 3.77 万公顷，包括 3 个类型，其中库塘面积 1.25 万公顷，运河/输水河面积 0.97 万公顷，水产养殖场面积 1.55 万公顷(图 2-14)。

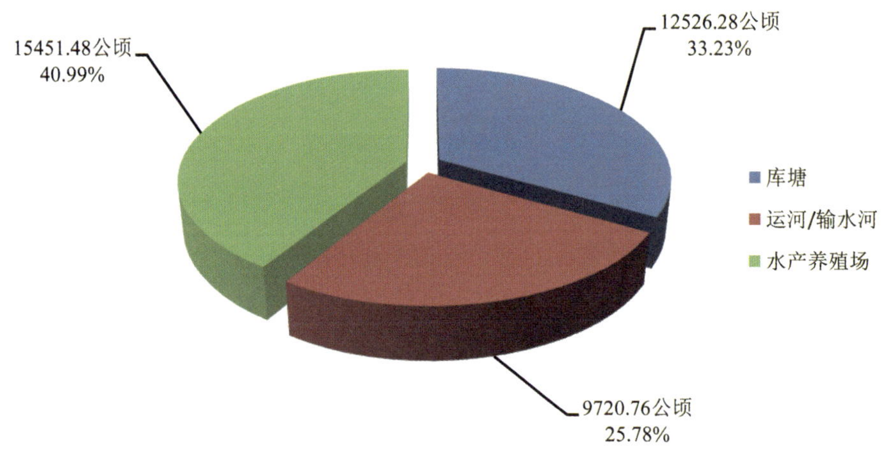

图 **2-14** 宁夏人工湿地型比例构成图

5.2 各流域的人工湿地型及面积

按三级流域划分，宁夏人工湿地主要分布在下河沿至石嘴山流域(占人工湿地总面积的 80.89%)和清水河与苦水河流域(占人工湿地总面积的 12.09%)(图 2-15)。

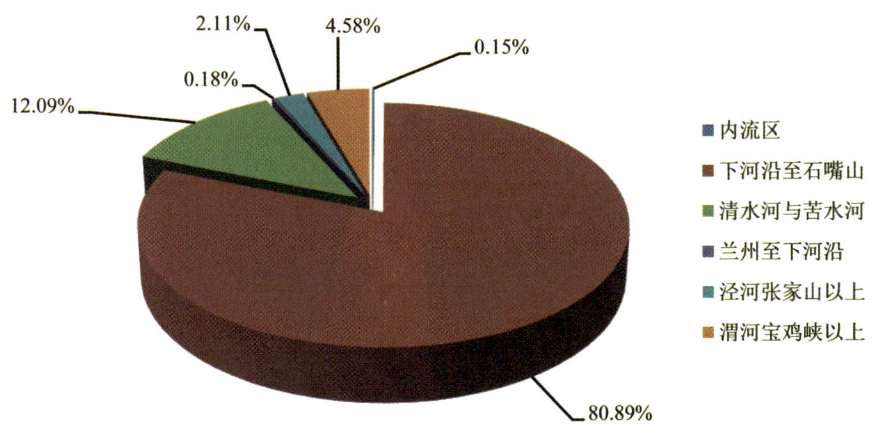

图 **2-15** 宁夏各流域人工湿地比例图

5.3 各湿地区的人工湿地型及面积

宁夏人工湿地在大部分湿地区均有分布，其中面积最大的是贺兰县零星湿地区，其次为永宁县零星湿地区，第三是平罗县零星湿地区。库塘湿地的面积最大的是海原县零星湿地区，运河/输水河面积最大的是青铜峡零星湿地区，水产养殖场面积最大的是贺兰县零星湿地区(表 2-15)。

表 2-15 宁夏各湿地区人工湿地概况表(公顷)

湿地区 \ 湿地类型	合 计	库 塘	运河/输水河	水产养殖场
合 计	37698.52	12526.28	9720.76	15451.48
星海湖湿地区	318.98	32.60		286.38
天河湾湿地区				
银川平原湿地区				
黄沙古渡湿地区				
沙湖湿地区	1135.29	188.05	68.32	878.92
阅海湿地区	667.29	40.78	242.23	384.28
鸣翠湖湿地区	775.10	20.70		754.40
鹤泉湖湿地区	134.07			134.07
吴忠黄河湿地区				
哈巴湖湿地区				
青铜峡库区湿地区	1804.67	1804.67		
腾格里湿地区	230.35			230.35
卫宁平原湿地区	165.91	165.91		

（续）

湿地类型 湿地区	合 计	库 塘	运河/输水河	水产养殖场
天湖湿地区				
震湖湿地区				
大武口区零星湿地区	472.08	236.09	93.86	142.13
惠农区零星湿地区	1913.24	374.84	312.59	1225.81
平罗县零星湿地区	2721.74	477.97	1147.54	1096.23
兴庆区零星湿地区	1410.86	139.43	225.00	1046.43
金凤区零星湿地区	1079.37	28.75	313.61	737.01
西夏区零星湿地区	2375.27	1113.87	311.66	949.74
永宁县零星湿地区	3260.11	386.20	1051.09	1822.82
贺兰县零星湿地区	5606.81	94.34	1109.92	4402.55
灵武市零星湿地区	1955.98	655.20	929.22	371.56
利通区零星湿地区	771.81	364.71	268.08	139.02
青铜峡市零星湿地区	2336.94	494.65	1170.24	672.05
红寺堡区零星湿地区				
盐池县零星湿地区	743.09	131.57	611.52	
同心县零星湿地区	329.61	73.94	255.67	
沙坡头区零星湿地区	801.21	207.45	531.12	62.64
中宁县零星湿地区	912.91	152.13	645.69	115.09
海原县零星湿地区	2106.60	1808.42	298.18	
原州区零星湿地区	1141.77	1097.26	44.51	
西吉县零星湿地区	1379.92	1379.92		
隆德县零星湿地区	437.18	346.47	90.71	
泾源县零星湿地区	56.53	56.53		
彭阳县零星湿地区	653.83	653.83		

5.4 各行政区的人工湿地型及面积

宁夏人工湿地主要集中分布银川市和中卫市，各县市区中人工湿地面积最大的三个单位依次是贺兰县、平罗县、永宁县(表2-16，图2-16)。

表 2-16 宁夏各行政区人工湿地面积统计表(公顷)

行政区 \ 湿地类型		合 计	库 塘	运河/输水河	水产养殖场
宁夏合计		37698.52	12526.28	9720.76	15451.48
银川市	合 计	17264.86	2479.27	4182.73	10602.86
	兴庆区	2103.58	160.13	225.00	1718.45
	金凤区	1746.66	69.53	555.84	1121.29
	西夏区	2375.27	1113.87	311.66	949.74
	永宁县	3476.56	386.20	1051.09	2039.27
	贺兰县	5606.81	94.34	1109.92	4402.55
	灵武市	1955.98	655.20	929.22	371.56
吴忠市	合 计	5799.77	2683.19	2305.51	811.07
	利通区	771.81	364.71	268.08	139.02
	青铜峡市	3955.26	2112.97	1170.24	672.05
	盐池县	743.09	131.57	611.52	
	红寺堡区				
	同心县	329.61	73.94	255.67	
中卫市	合 计	4403.33	2520.26	1474.99	408.08
	沙坡头区	1197.47	373.36	531.12	292.99
	中宁县	1099.26	338.48	645.69	115.09
	海原县	2106.60	1808.42	298.18	
石嘴山市	合 计	6561.33	1309.55	1622.31	3629.47
	大武口区	791.06	268.69	93.86	428.51
	惠农区	1913.24	374.84	312.59	1225.81
	平罗县	3857.03	666.02	1215.86	1975.15
固原市	合 计	3669.23	3534.01	135.22	
	原州区	1141.77	1097.26	44.51	
	彭阳县	653.83	653.83		
	泾源县	56.53	56.53		
	隆德县	437.18	346.47	90.71	
	西吉县	1379.92	1379.92		

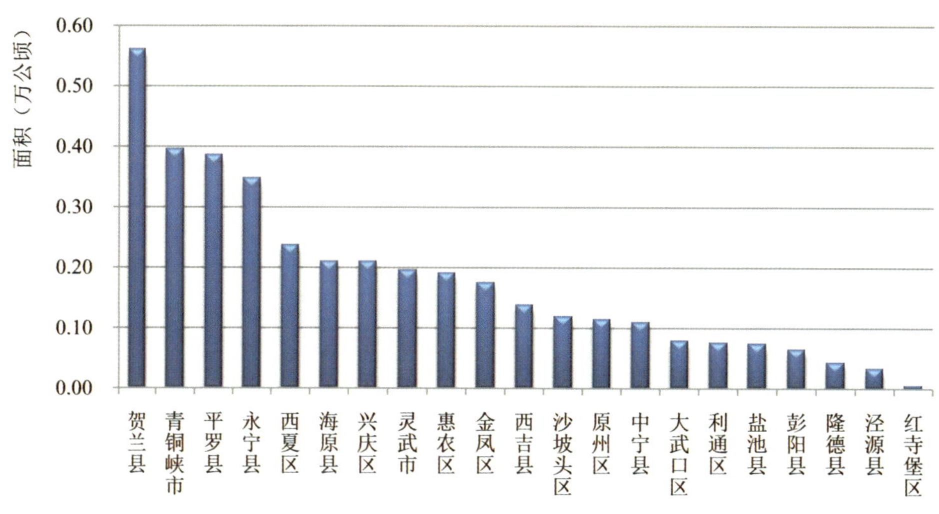

图 **2-16** 宁夏各行政区人工湿地面积排序图

第二节 湿地的分布规律

1 湿地特点

宁夏国土总面积5.19万平方公里，境内黄河从西到东流经397公里，形成了宁夏滩涂众多、湖泊棋布、沟渠纵横、鱼跃鸟鸣、稻香四溢的自然景观。宁夏湿地面积占国土面积的比例为3.99%，宁夏湿地资源丰富而且有鲜明的特点。

1.1 湿地类型多样，类型分布呈明显的地域性特点

图 **2-17** 宁夏自然分区示意图

宁夏湿地类型包括河流湿地、湖泊湿地、沼泽湿地等自然湿地和人工湿地4类湿地，永久性河流、永久性湖泊、洪泛平原湿地等14个湿地型，在较小的国土面积范围内集中了多种湿地类型。在4大湿地类中，河流湿地面积占宁夏湿地总面积的47.25%，在宁夏排第一位，而湖泊湿地、沼泽湿地、人工湿地各占16.17%、18.38%和18.20%，面积占比较为均衡，但从自然分区上讲，湿地类型分布明显呈地域相分布特点。北部宁夏平原区湿地资源最为丰富，主要分布永久性河流湿地、湖泊湿地

和人工湿地；南部山区主要分布有河流湿地，零星分布人工水库和堰塞湖，形成独立的湿地水系网络，中部干旱地区主要分布有沼泽湿地、湖泊湿地和河流湿地(图 2-17、图 2-18)。

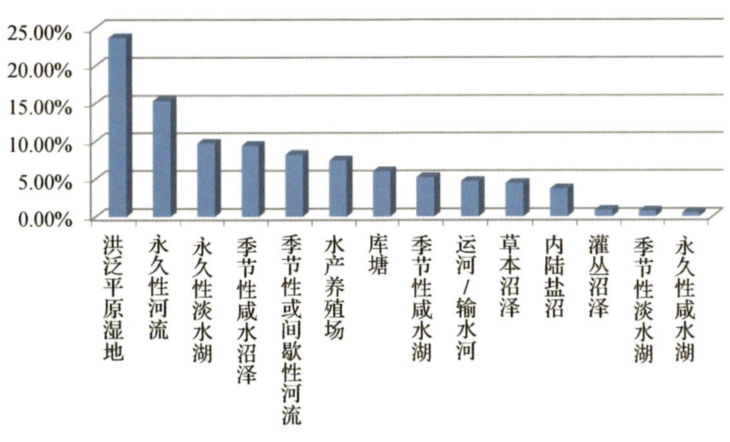

图 **2-18** 各湿地型所占比例排序图

1.2 以黄河为中心的北部宁夏平原区占宁夏湿地比重大，生态区位重要

北部宁夏平原区包括沿黄河两岸的银川市 6 县(区)、石嘴山市 3 县(区)、吴忠市的利通区和青铜峡市以及中卫市的沙坡头区和中宁县，共 13 个县(市、区)，国土面积占宁夏国土面积的 42.6%。该区域内湿地面积 158133.11 公顷(按照 13 个县市的面积)，占宁夏湿地总面积的 76.33%，湿地类型丰富，集中分布了 4 个湿地类 14 个湿地型，按面积比例从大到小依次是河流湿地 49.25%、人工湿地 19.51%、沼泽湿地 16.60% 和湖泊湿地 14.64%。虽然过去沿黄河滩涂历经围垦，且外源泥沙量持续增加，部分河岸段逐渐侵蚀，但整个黄河流域湿地依然沟渠纵横、湖泊星罗棋布，保持了其固有的湿地生态作用。近年来，随着生态建设力度的加强，投资的增加，宁夏举全区之力，打造"黄河金岸"，疏通河道，开挖渠道、连通湿地水系，打造"塞上湖城""水韵之城""湿地园林城市"等，黄河宛如一条生态"玉带"环抱"塞上湖城"，极大地提升了宁夏平原城市的形象，打造了宜居环境。2009 年，位于黄河城市带中央的银川市被评为中国新十大天府城市，2010 年被评为全国最宜居的城市之一，充分显示了宁夏平原湿地生态作用重要意义(图 2-19)。

1.3 南部山区湿地资源以河流湿地为主，人工库塘和堰塞湖次之

由于南部山区所处的六盘山地区包括固原市 5 县(区)和中卫市、海原县共 6 县(区)，国土面积占宁夏国土面积的 32.2%，是多条河流的水源地(清水河、泾河、渭河等)。该区域内湿地总面积 20141.37 公顷，占宁夏湿地总面积的 9.72%，湿地类型有 4 类 9 型，按面积比例从大到小依次是河流湿地 65.96%、人工湿地 28.68%、湖泊湿地 4.83% 和沼泽湿地 0.53%。新中国成立后，在南部山区各县市修建了大量的中小型水库，该区域的人工湿地所占比例较大。另外，由于 1920 年海原大地震，使得海原县、西吉县境内发生了大面积的山体滑坡和泥石流，堵塞了河道，形成了许多的堰塞湖(图 2-20)。

图 **2-19** 湿地城市增添了灵气

图 **2-20** 西吉震湖

1.4 中部干旱地区湿地资源以沼泽湿地、湖泊湿地为主，并受干旱影响较大

以盐池为代表的中部干旱地区包括吴忠市的盐池县、同心县和红寺堡区 3 县(区)，国土面积占宁夏国土面积的 25.2%。该区域内湿地总面积 28896.91 公顷，占宁夏湿地总面积的 13.95%，湿地类型有 4 类 12 型，按面积比例从大到小依次是沼泽湿地 40.54%、湖泊湿地 32.44%、河流湿地 23.31% 和人工湿地 3.71%。该区域历史上由于地质变化形成了大大小小许多的湖盆，受近代干旱影响，原来的淡水湖逐渐向着咸水湖—盐湖—盐沼—湖盆的方向退化消亡，形成在沙区边缘或沙漠中很独特的荒漠湿地景观(图 2-21)。

图 **2-21**　盐池哈巴湖

1.5　湿地生物多样性丰富，水生与旱生植被共存，是重要的物种基因库

宁夏湿地虽然受人为干扰大，但是湿地生物多样性比较丰富。通过 2009 年调查结果显示，宁夏湿地植被共有 4 个植被型组，9 个植被型，群系超过 100 种；湿地维管束植物 222 种，隶属 57 科 143 属。宁夏湿地植物群系有明显的广布性和偶见性、盐生性和沙生性、水生性向中旱生群落直接过渡的特点，代表了西部干旱区湿地特有的植被体系。

宁夏湿地野生动物种类多样，尤其鸟类、鱼类等物种极为丰富。调查表明，宁夏湿地脊椎动物有 139 种，隶属于 6 纲 19 目 33 科，而野生鱼类和鸟类资源分别占湿地脊椎动物目、科、种总数的 63.3%、40.7% 和 33.8%。而且珍稀鸟类及保护物种比例高，在这 96 种湿地鸟类中，有中国家 I 级保护鸟类 2 种，分别是黑鹳、中华秋沙鸭；国家 II 级保护鸟类 8 种，分别是鸳鸯、大天鹅等，列入环境野生动植物国际贸易公约（CITES）名录的有 14 种，列入中国濒危物种红皮书（RDB）名录保护的物种共有 8 种，其余多为国家保护的有益的或者有重要经济、科学研究价值的动物。

1.6　湿地文化沉淀深厚，是宁夏文化历史的缩影

宁夏湿地集中在宁夏平原，因此宁夏平原湿地的文化沉淀就是宁夏湿地文化的沉淀。由于宁夏平原湿地人为开发利用程度高，丰富的湿地资源是宁夏重要的自然生态资本，湿地历来就是周边百姓主要生产资料和主要的生计来源，特别是在平原地区生活的人民长期依水而居，与湿地相生相存，彼此影响，孕育了享誉中外的“天下黄河富宁夏”独特水乡文化。富庶的引黄灌溉区，孕

育了“塞上江南”的自然环境。银川市历史上有“七十二连湖”之美称，明、清时期，“月湖夕照”“汉渠春涨”“连湖渔歌”“南塘雨霁”等湖泊景观成为当时西北盛景。经过千百年来世世代代居民与当地湿地的相互影响，已经形成了水网密布、河道纵横、星罗棋布的宁夏平原特有湿地农耕文化，也形成了承天塔影、南楼秋色、南塘雨霁的古代宁夏“八景”中的“三景”，这都是人与水和谐相处的智慧结晶，蕴含着丰厚的历史文化积淀，彰显其历史人文源远流长(图 2-22)。

图 **2-22** 黄河水车

1.7 宁夏平原湿地通过自然或人工水系互为连通，形成关联程度极高的湿地网络

宁夏平原地势平坦，自然水体交互连通程度较高。黄河自中卫沙坡头区流入宁夏，到石嘴山汇入内蒙古，宛如一条“玉带”穿越宁夏平原。自秦、汉以来，兴修了秦渠、汉渠、唐徕渠等水利工程，新中国成立后，不仅对历史水渠进行全面维修扩建，而且还建立了惠农渠、西干渠、东干渠等八大主干渠，同时修建十大排水沟，尤其是近年来，为打造“城水相依、人水亲和”的湿地城市生态景观，建成集防洪、排水、生态、景观、旅游等多种功能于一体，全长 158.5 公里艾依河工程，它南起唐徕渠永家湖退水闸，北至石嘴山市入黄河，它纵跨 6 个县(市)，连通 6 个拦洪坝、两个滞洪区，西湖、北塔湖、华雁湖、阅海等十几个湖泊，接引了 10 个排水沟。同时在“黄河金岸”工程沿线重点开发中卫滨河、青铜峡鸟岛、吴忠滨河、银川水系、平罗天河湾、石嘴山星海湖六大湿地，努力打造都市天然“氧吧”。使宁夏平原湖泊棋布、波光荡漾、沟渠纵横、阡陌交错、稻香四溢、鱼跃鸟鸣。秀美的湖光景色融于粗犷的北国风光，不是江南，胜似江南。形成了宁夏平原湿地水系相互连通的湿地网络体系。

2 湿地分布规律

宁夏湿地分布较广，从南到北均有分布，但湿地类型分布的地域性差异较大。从地域分布看看，由于有 2000 多年灌溉历史，在黄河两岸发达的灌溉渠系周围形成了众多湖泊和沼泽，宁夏湿地资源主要集中在北部宁夏平原地区的黄河两岸，另外，在毛乌素沙地和腾格里沙地边缘分布有零星的湖泊和沼泽，在南部山区清水河、泾河流域分布有众多河流水系。

按湿地类分析，北部宁夏平原区分布最多的湿地类是河流湿地，中部干旱地区分布最多的是沼泽湿地，南部山区分布最多的是河流湿地(表 2-17)。

表 2-17　宁夏各自然分区湿地资源面积统计表(公顷)

湿地类型 自然分区	合　计	河流湿地	湖泊湿地	沼泽湿地	人工湿地
北部宁夏平原区	158133.11	77883.36	23153.48	26246.28	30849.99
中部干旱地区	28896.91	6736.26	9373.18	11714.77	1072.70
南部山区	20141.37	13285.27	973.48	106.79	5775.83
合　计	207171.39	97904.89	33500.14	38067.84	37698.52

3　宁夏湿地成因

宁夏地貌类型复杂多样，并且表现出明显的过渡性特点，因此，各种湿地的成因也不尽相同。

3.1　宁夏平原湿地的成因

宁夏平原即宁夏境内黄河沿岸的冲积湖积平原，南起黄河黑山峡出口处的中卫县下河沿，北止石嘴山市北端的黄河三道坎，面积9000多平方公里，是宁夏的农业精华地带，被称为“塞上江南”。

根据宁夏地区第四纪地质的研究，一二百万年前，宁夏平原是一个由断陷盆地造成的浩瀚大湖，封闭型的湖盆周边，堆积了洪积相的砂砾石。以后直到黄河原始河道形成，变为外流盆地，才出现了以河湖相为主的沉积。黄河在盆地内来回摆动，泥沙不断淤积，湖沼面积缩小，逐渐形成冲积平原。黄河的迁移、改道和演化，对宁夏平原湿地的形成和发展起着极为重要的作用。

除淡水湖外，宁夏平原上原生和次生盐湖自古至今都存在，凡是与河渠没有直接连通的湖沼，都不同程度上咸化而成为微咸水湖、咸水湖甚或盐湖。

宁夏平原湖沼在地质时期和人类历史时期所经历的缩小—扩大—缩小的复杂过程，都受到地面沉降、泥沙淤积、黄河泛滥、气候干化等多种因素的影响，而自汉代引黄灌区开发以来，湖沼变迁却主要与不同阶段灌区的开发活动紧密相连，各种自然因素则相对居于次要地位。汉代以来历代对宁夏平原农田灌溉工程的大规模开发，使宁夏平原逐渐形成了我国西北一个典型的人工绿洲生态系统。在平原南部湖沼较少的上游地段首先兴修引黄灌溉渠道。囿于当时的生产力水平，灌溉余水不可能全部复归黄河，平原的中北部低洼地段成为汇集灌溉余水之所，使得某些地段湖沼面积有所扩大。到了唐代，汉代旧渠得到全面整修，并新建、扩建了一些渠道，有名者计有汉渠、七级、光禄、尚书、御史、薄骨律、百家、特进等渠，特别是唐徕渠灌区的大规模开发，灌区向地势低洼、湖沼密布、原有盐碱化土壤的平原中部发展。宋代银川平原盛产水稻，随着水稻田扩大，引水量增加，灌溉余水又可能在其下游汇聚成一些新的湖沼。明清以后，宁夏平原灌溉面积大规模扩展，特别是清初康熙、雍正两朝，新建了大清、惠农、昌润等渠，灌溉面积由8.67万公顷跃增到13.33万公顷，而排水设施并未得到相应建设，造成大量的渠间洼地积水成湖。

在古代无坝引水条件下逐渐形成了多首制渠系，各干渠与黄河平行排列，造成直接从干渠开斗渠、农渠口，灌溉常易决口，且很难安全退水入河。在河水上涨或暴雨时，渠水只能泄入湖沟，形成银川平原中下游沟道混乱、洼地积水、湖沼密布的局面。因此，宁夏平原上不仅有自然形成的构造沉降湖、扇缘湖、牛轭湖、震陷湖、泉源湖，还有大量因灌排不畅而人为形成的渠间洼地湖。由1935年测绘的《宁夏全省渠流一览图》《唐徕渠流域图》等图可见，几乎大多数支渠尾闾均为湖沼，银川附近地区水面竟占总面积约1/4(图2-23)。

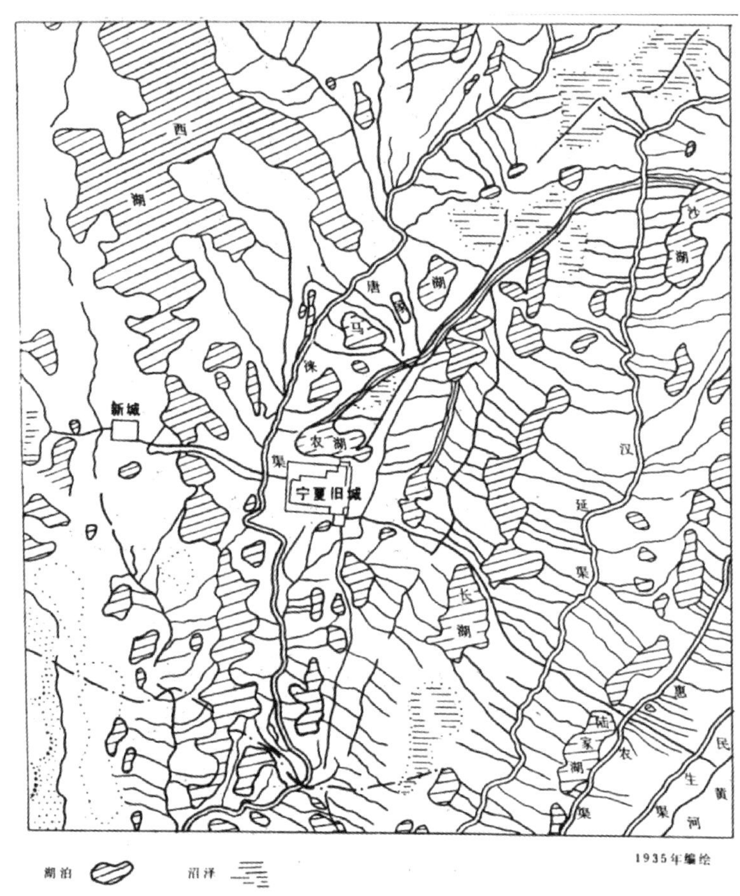

图**2-23** **20**世纪**30**年代宁夏省城(银川)四郊湖沼分布图

由此可见，宁夏平原虽属干旱地区，但历史上曾是一个湖沼密布的水乡泽国。不论与东部平原湖群或是青藏高原湖群相比，其演变特点与生态效应均具有自己的独特性质，除了干旱区水面蒸发量大、容易造成湖水成化和湖周土壤盐渍化，湖盆地面沉降与黄河水沙淤积相互抵消效应等特点外，其最大特点是与人类的水利活动相互相成、密不可分。可以这样说，宁夏平原湿地生态系统是整个人工绿洲生态系统的有机组成部分，它对绿洲的结构、功能和发展趋向具有重要的影响和互动效应。

3.2 其他湿地形成的原因

3.2.1 贺兰山东麓因洪水形成的湿地

贺兰山是宁夏平原的天然屏障，耸立在引黄灌区西部边缘，全长170多公里。贺兰山东麓大小出口洪积扇十分发育，相互重叠，连接成宽广的山前洪积平原，由西向东倾斜。山麓上部地面倾斜度大，砾石遍布，下部以沙、沙质黏土为主，地势较为平坦，间有一些浅洼地，或成沼泽。由山洪刨蚀成的较深洼地则汇聚山洪余流而成湖泊，此类湖泊属扇缘湖。

贺兰山有大小山洪沟道156条，因山地植被稀疏，山坡陡峻，沟道纵向比降大，加上山前洪积平原面积大，降水汇流形成的山洪洪峰高、历时短，洪量小，突发性强，严重威胁着沿山地区的安全。据实测资料，最多的一年(1997年)发生四次暴雨，暴雨多集中在6~9月；1975年8月5日贺兰山降水量212.5毫米，历时9小时；银西段大面积暴雨，降水量250毫米，暴雨笼罩面积0.07万~0.70万平方公里。

为解决贺兰山山洪的危害，经过多年整治，在贺兰山东麓修建拦洪库7座，滞洪区10座。二次调洪区6座，设计总蓄水量9982.2万立方米。其中青铜峡段先后修建了大坝、大沟、马圈沟、邵里桥、营桥、磨石沟6座滞洪区；银西段沿西干渠西堤向北呈“一”字形排列，依次修建了第一、第二、园林场、第四、第五、镇北堡和金山拦洪库；银北段修建了大武口、镇朔湖、高庙湖和燕窝池4座滞洪区。这些滞洪区有的由天然湖泊改造而成，如高庙湖等，有的形成了大面积的湿地，一般常年积水，因滞洪量水域面积或大或小，成为鸟类栖息之地。2005年10月在原镇北堡拦洪库扩建改造，设计总库容2170万立方米，形成了667公顷的镇北湿地，其中水域面积约466公顷。

3.2.2 宁夏因地震形成的湖沼

宁夏是地壳构造活动极为强烈的地区，地震频繁发生，是我国大陆地震较为严重的地区之一。宁夏地震活动区域主要分布在贺兰山地震区和六盘山地震区。历史上发生在宁夏的几次强烈大地震，对形成堰塞湖、积水洼地和湖沼起到了重要作用。

1739年1月3日(清乾隆三年十一月二十四日)发生在银川—平罗的大地震，震中烈度10度强，震级估计为8级。破坏范围半径达380公里。据《故宫档案》《乾隆宁夏府志》载：靠近黄河的一些城镇，震后地裂“涌出大水，并河水泛涨进城，一片汪洋，深四五尺不等，民人冻死、淹死甚多”。这是中国内陆因地震引起河水泛滥成灾的一次震例。银川平原是黄河冲积平原，地下水埋深极浅，甚至溢积地表，地下水排泄不畅，土壤盐渍严重。地基土层为黄河冲积粉细砂、细砂土和湖沼淤泥组成，在猛烈的地震动突然作用下，地基液化失去承载能力，使地表大面积不均匀沉陷，造成许多城垣、仓廒，房屋、建筑物的严重毁坏。地基液化不仅使地面大面积沉陷积水成沼，还使地下水产生很高的水压沿地裂缝喷涌而出，并夹带大量泥沙塞渠毁田，致使从黄河沿岸至贺兰山麓均成一片冰海、沙海。特别是宝丰、新渠及各营堡、黄河沿岸，地裂缝宽数米，大水涌出，河水泛涨，一并涌进城乡，逐成一片汪洋，水深1~2米。银川老城东北2公里左右的满城，城垣下陷，东、南、北三门俱不能出入，仅西门勉强可供行人通过。新渠、宝丰两座县城因沉陷成为海塘，不能再修建城堡，地震后县治被裁汰。大地震使得满城形成积水沼泽，只好移址，现满城故址多已成为鱼池、稻田。宝丰城“河水泛滥进城，一片汪洋，深四五尺以至六七尺不等”，此后宝丰县撤销，现今宝丰故地仍见大片湖沼和积水洼地。

1920年(民国九年)12月16日(农历庚申年十一月初七)20时5分53秒发生在海原的大地震不仅是我国历史上最大的地震之一，而且是世界上最大的地震之一。震级8.5级，震中烈度12度，震源深度17公里，震中位于东经105°42′，北纬36°42′。有感面积达251万平方公里，约占中国面积的1/4，是中国历史上波及范围最广的一次大地震。极震区的海原、固原和西吉县严重滑坡，仅在海原以南及西吉一带南北长60公里、东西宽20～30公里的范围内，形成大小滑坡650个，滑坡达31平方公里。滑坡体堵塞沟谷，形成约100多个串珠状的堰塞湖，西吉县(过去属海原版图)因山体滑坡，堵截山涧、深谷、洼地和沟壑，形成了40多处地震湖，当地群众叫水堰，星罗棋布地分布在全县境域。西吉党家岔堰塞湖是目前固原市最大的地震堰塞湖，也是宁夏最大的堰塞湖。现有水面南北长3110米，东西平均宽600米，水域面积达186.6万平方米。平均水深6米，最大水深11.5米，蓄水量1120万立方米。

3.2.3 宁夏因修建水库形成的湿地

1954年，青铜峡水利工程被列为黄河流域第一期兴建的水利项目，1958年8月26日正式开工。1960年河床截流，从此结束了秦汉时代以来宁夏无坝引水的历史，使银川平原灌溉面积扩大，由新中国成立初期的的9.33万公顷，扩大到36.67万公顷。青铜峡水库设计水位1156米，总库容7.35亿立方米，拦河大坝南北长26.5公里，东西最宽处4.5公里，最窄处1.4公里，大坝以上(以南)形成了大面积的库区湿地。

沙坡头水利枢纽是一项具有节水灌溉、发电、生态建设等综合利用的水利枢纽工程，被国家列为西部大开发十大重点工程之一。2004年，宁夏建成沙坡头水利枢纽，沙坡头水利枢纽位于黄河中卫境内正常蓄水位1240.5米，总库容2700万立方米。

自20世纪50年代以来，宁夏在南部山区修筑水库193座，位于清水河流域的79座，位于泾河流域的37座，位于葫芦河流域的67座，位于其他流域的10座。其中库容1000万立方米以上的大中型水库14座。这些水库总库容为8.77亿立方米，设计灌溉面积5.64万公顷。

1958年，宁夏决定在清水河流域建立若干处水库，1960年8月，长山头水坝建成，该水坝是一座以防洪为目的的水利工程。水坝建成后，在清水河河道东侧形成了大面积的湖泊、沼泽地，后来由于对靠近坝体清水河河道的不合理取直和填湖造田，使清水河河道东侧湖泊湿地面积急剧萎缩。1978年，宁夏决定在中宁县陈麻井公社的基础上成立区属国营长山头机械化农场，长山头农场成立后对清水河西侧加强土地整治，通过水利工程建设，使清水河河道西侧形成大面积的湖泊和沼泽地，成为宁夏中部干旱带上最大的一片生态湿地。

2005年，依托宁夏宁东能源化工基地一期供水工程建设鸭子荡水库，水库总面积1378公顷，其中水域面积约290公顷。库区生境良好，成为一处鸟类栖息地，有效改善了宁东地区生态环境。

第三章 湿地生物资源

第一节 湿地植物和植被

1 湿地植物区系和植物种类

1.1 宁夏湿地植物物种组成与区系分布

本次宁夏湿地植物物种统计，蕨类植物统计按照秦仁昌系统，裸子植物统计按照郑万钧系统，被子植物统计按照恩格勒系统。由于宁夏位于半湿润—半干旱—干旱的过渡区域，湿地植物种类和植被类型相对比较非富，但是在重点湿地植被调查中，水生环境至陆生旱生环境之间往往缺乏过渡类型——即湿生、中湿生、湿中生甚至中生植物及其构成的植被缺失，加之湿地的人工植被建植强度比较大，自然分布与人工栽植的植物彼此混生现象也非常突出，因而本研究在植物区系分析时，将重点湿地调查中记录的所有物种一起分析，不再做人工和天然物种的区分。

根据本次湿地资源调查中植被调查的数据统计，宁夏共有湿地维管束植物222种，隶属57科143属(详见本书附录1)。其中蕨类植物2种，隶属2科2属；裸子植物7种，隶属3科6属；被子植物213种，隶属52科135属(其中单子叶植物46种，隶属11科30属；双子叶植物167种，隶属41科105属)。

湿地植物(包括水生和湿生植物)种数占宁夏湿地自然分布物种总数的19.8%。

1.1.1 科级统计分析

含有20种以上的科有3个，即禾本科、菊科和豆科，占总科数的5.26%，共有73种，隶属47属，分别占总属数的32.87%和总种数的32.88%；含9~20种的科有3个，即杨柳科、藜科和蔷薇科，共42种，隶属19属，分别占总属数的13.29%和总种数的18.92%；含3~9种的科有15个，共60种，隶属37属，分别占总属数的25.87%和总种数的27.03%，其中仅含1~2种的科有36个，占总科数的63.16%。7个所含属的个数最多的科依次排列是：禾本科17属，菊科15属，豆科15属，藜科10属，唇形科4属，十字花科4属。此7科中按照所含种数的多少依次排列是：菊科28种，禾本科23种，豆科22种，藜科19种，蔷薇科14种，十字花科5种，唇形科4种。

1.1.2　属级统计分析

含6种的属有2个，占总属数的1.4%，其中，杨属6种，蒿属6种；含4～5种的属6个，占总属数4.2%，如蓼属4种，藜属4种，李属5种，槐属4种，鹅绒藤属4种，眼子菜属4种等；含3种的属共10个，占总属数的6.99%，如柳属、盐爪爪属、虫实属、委陵菜属、香蒲属、藨草属等；其余125属，每属仅含一二个种，占总属数的87.41%。这说明物种在属的水平上分布比较均匀。

1.1.3　种级统计分析

按照植物生活型来划分，在222种维管束植物中，乔木、灌木、木质藤本有55种，但是大部分都为人工栽培的，在宁夏湿地中自然分布的只有10种，占总种数的4.5%，主要集中在藜科、蒺藜科、柽柳科中。草本植物占绝对优势，共有167种，占总种数的75.23%。

在地势较为低洼的湿地周边以碱蓬、盐地碱蓬、白茎盐生草、花花柴、尖叶盐爪爪、盐地风毛菊、碱菀等盐生植物为主。

淡水湿地内分布的植物按照生活型可进一步划分为沉水植物、漂浮植物、浮叶植物、挺水植物和湿生植物。经外业调查，常见种类包括：

沉水植物：金鱼藻、狐尾藻、穿叶眼子菜、竹叶眼子菜、蓖齿眼子菜等。

漂浮植物：浮萍、槐叶苹。

浮叶植物：荇菜、浮叶眼子菜、莲等。

挺水植物：芦苇、慈姑、花蔺、狭叶香蒲、长苞香蒲、小香蒲等。

湿生植物：稗、水蓼、水莎草、藨草、菰、水麦冬、长叶碱毛茛等。

宁夏湿地维管束植物区系表明，湿地植物的分布受水分因素的影响较大，尤其是水生湿地植物的种类，即具有地带性和地域性的特点又具有隐域性特点。

1.1.4　区系分析

在调查的植物中涉及人工绿化栽培物种在进行植物区系分析时，只分析自然分布物种，不涉及人工绿化物种。

蕨类植物在调查中，分布有2科2属，分别是木贼属和槐叶苹属，都属于世界分布。

根据吴征镒(1991)的中国种子植物属分布类型的划分系统，将宁夏重点湿地自然分布的种子植物划分为以下的分布区类型(表3-1)。

表3-1 宁夏湿地种子植物属的分布类型统计表

分布类型	属　数	占总属数比例(%)
1. 世界分布	31	26.96
2. 泛热带分布	12	10.43
6. 热带亚洲至热带非洲分布	2	1.74
7. 热带亚洲分布	1	0.87
8. 北温带分布	29	25.22
9. 东亚和北美洲间断分布	6	5.22
10. 旧世界温带分布	15	13.04

（续）

分布类型	属　数	占总属数比例(%)
11. 温带亚洲分布	4	3.48
12. 地中海、西亚至中亚分布	10	8.70
13. 中亚分布	4	3.48
14. 东亚分布	1	0.87
合　计	115	100

1.2　宁夏湿地种子植物区系特点

1.2.1　植物区系成分多样，兼有地带性与隐域性分布的特点

中国的种子植物属共有15个分布区类型，而全国第二次湿地资源调查(宁夏区)发现，在宁夏湿地自然分布有11个类型(表3-1)，缺热带亚洲和热带美洲间断分布、热带亚洲至热带大洋洲分布、热带亚洲至热带非洲分布和特有属的分布。世界分布类型有31属，占总属数的26.96%；泛热带、热带亚洲至热带非洲分布等3个热带分布类型共有15属，占总属数的13.04%；北温带、旧世界温带及温带亚洲分布类型共有48属，占总属数的41.74%。其中北温带分布类型就有29个属，体现了宁夏湿地种子植物区系明显的温带性质。在水生和盐生植被中除了上述地带性成分外，往往发育着隐域的区系成分或称非地带性的区系成分。如藨草属、香蒲属、眼子菜属、慈姑属等都是较为典型的隐域性区系成分。

1.2.2　湿地植物中单子叶草本占优势，灌木、乔木湿地物种相对缺乏

在宁夏重点湿地的植物调查中，草本植物有167种(含变种)，占总数的75.2%。单子叶草本植物中，禾本科最多，含23种；其次是莎草科，含6种。在不同的湿地环境中，大部分植物群落类型以单子叶植物为建群种，且盖度大。这与湿地特殊的生态环境有很大关系，也与单子叶植物中有较多的广布种和隐域性的区系成分有关。木本湿地植物相对贫乏，自然分布的有柽柳科和胡颓子科植物。从区系上看为旧世界分布及地中海、西亚至中亚分布，反映了植物区系的古老性。

1.2.3　世界广布的湿地植物建群作用明显，群落优势度高

不同的生态环境下发育的湿地植物群落组成差异明显，但均有相对明显的优势种，且群落盖度较大。在低湿盐化草甸中，有盐地碱蓬群落、盐爪爪群落、芦苇群落等；沟渠湿地边的芦苇群落、香蒲群落、水莎草群落等；有沟渠中的水生植物群落，如荇菜群落、眼子菜群落、狐尾藻群落、茨藻群落等。

1.2.4　无特有属成分

宁夏重点湿地植物区系中没有发现本地区的特有属，该区湿地植物区系特有成分贫乏的原因可能与黄河冲击平原的地史相对年轻、湿地生境较为单一有关。

1.3　国家重点保护野生湿地植物

据2009年宁夏湿地资源调查发现有国家重点保护野生湿地植物4种。其中，国家Ⅱ级保护植物3种，分别是甘草、莲、牡丹；国家Ⅰ级保护植物1种为银杏。

1.4 生态组成特征

1.4.1 水分生态类型

在222种湿地维管束植物中，人工绿化植物和经济植物55种，占总种数的24.8%；自然分布物种(包括栽培植物亦为野生的)为167种，占总种数的75.2%。自然分布物种按各自的生理与解剖特征并充分考虑分布的生境，划分出每种植物的主要水分生态类型并进行统计，结果显示宁夏湿地植被组成以旱生植物为主，有77种，占46.1%；中生植物其次，有57种，占34.1%，水生和湿生植物分别为23种和10种，占宁夏湿地自然分布物种总数的13.8%和6.0%(图3-1)，表明宁夏湿地植被构成中旱生和中生植物作用重大。但其中一些植物实际上具有较强的生态适应性，有的还存在多种生态型，如芦苇就有水生、旱生和湿生等至少3种生态型；沙枣、柽柳等虽为旱生植物，但同时具有耐水湿特性等。

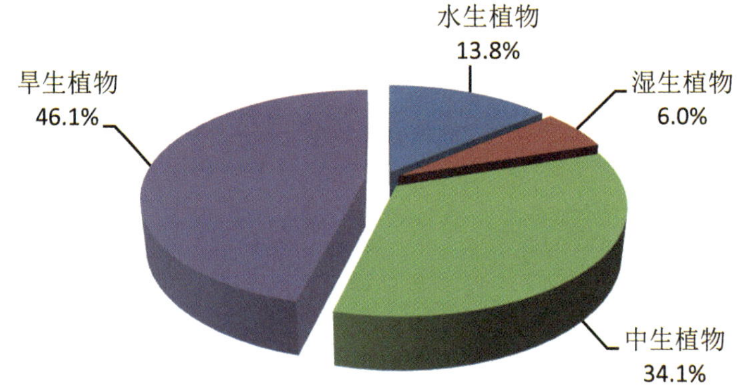

图3-1 宁夏湿地自然分布种水分生态类型组成

1.4.2 生活型组成

宁夏湿地植物的生活型组成中，多年生草本占绝对优势，占总种数的48.2%；其他如灌木、半灌木和小半灌木占14.9%；乔木占13.5%，基本都是绿化栽培树木；一年生草本占13.1%；包括沉水植物、挺水植物和浮叶植物在内的水生植物只占10.4%，如图3-2。

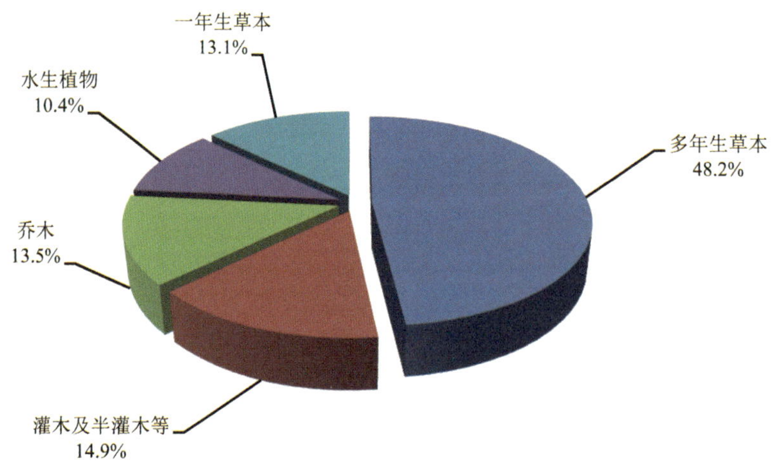

图3-2 宁夏湿地生活型组成

1.4.3　特殊生态类型

宁夏湿地植被的植物组成中，除具有水生生态类型多样和以多年生草本植物为主的生态特征外，还表现出盐生和沙生植物种类多，植物普遍具有较强逆性等特点。湿地盐生植物大约有50余种，其中如柽柳、白刺、盐爪爪、细枝盐爪爪等灌木为建群种组成盐生灌丛，分布在地下水位较高的盐渍土上；以芨芨草、碱蓬、碱菀、白茎盐生草、盐地风毛菊、骆驼蓬等则组成盐生草甸群落。湿地沙生植物约有30余种，如苦豆子、苦参、柠条锦鸡儿、甘草、沙米、砂珍棘豆、达乌里胡枝子、红砂、白刺、沙蒿、黑沙蒿、短花针茅、虫实等，往往组成沙生灌丛、半灌木与小半灌木群落及沙生杂类草群落。盐生与沙生植物在宁夏湿地区具有混生特性，其中如白刺和小果白刺既是沙生植物又是盐生植物。

2　湿地植被类型和分布

依据植被型组—植被型—群系的分类系统，通过本次宁夏湿地植被调查发现，宁夏湿地植被共有4个植被型组，9个植被型，群系超过100种。常见的植被类型和分布状况如下。

2.1　阔叶林湿地植被型组

2.1.1　落叶阔叶林湿地植被型

(1)沙枣群系。宁夏广泛分布，多见于黄河冲击平原河岸边，耐干旱、盐碱，也耐水湿，在宁北黄河沿岸一带形成沙枣林，沙枣林中夹杂分布有北沙柳，林下多草本，如碱蓬、拂子茅、藜等。

2.2　灌丛湿地植被型组

2.2.1　落叶阔叶灌丛湿地植被型

(1)枸杞群系。宁夏广泛分布，人工种植或自然分布。在宁北地区，自然分布较多，分布区水分较为良好，其灌丛下着生有节节草、乳苣、苣荬菜等。

(2)杠柳群系。杠柳在宁夏中北部地区较多，作为一种木质藤本，主要分布在沙质地或河边。在青铜峡库区湿地调查中发现杠柳和芦苇共生，灌丛下生长蒲公英、碱蓬等。

2.2.2　盐生灌丛湿地植被型

(1)柽柳群系。在宁夏普遍分布，在调查的重点湿地中，几乎都有分布，在吴忠湿地及天河湾湿地区有大片的柽柳群落，盖度可达100%，高度可达150厘米，因盖度不同导致灌丛下植被不同，盖度较大的灌丛下一般分布物种较少，仅有芦苇；盖度在30%左右的灌丛下分布物种较多，有拂子茅、灰绿藜、蔺状隐花草等。

(2)白刺群系。宁夏平原一带分布，常见于湿地岸边较远处，可利用深层地下水。因生境不同，高度在50～150厘米之间，盖度可达40%。常见伴生种有碱蓬、灰绿藜、芦苇等。

(3)尖叶盐爪爪群系。宁夏引黄灌区普遍分布，常分布于低洼湿地及盐碱地，在湿地植被群落中形成单优势种，高70厘米，盖度可达60%。常见伴生种有鸦葱、花花柴、芦苇、碱蓬等。

(4)细枝盐爪爪群系。在哈巴湖湿地保护区较多，宁夏北部低洼地区也有分布，易形成优势种，盖度在40%左右，高度可达80厘米。灌丛下伴生种有碱蓬、鸦葱、蒲公英等。

(5)花花柴群系。宁夏引黄灌区广泛分布，常分布于低洼盐碱地。盖度在50%，高度60厘米。常见伴生种有芦苇、尖叶盐爪爪、碱蓬等。

(6)碱菀群系。宁夏引黄灌区普遍分布，常见于湿地岸边、低洼湿地或盐碱地。高60厘米，盖度可达40%。常见伴生种有芦苇、碱蓬、水蓼等。

(7)碱蓬群系。宁夏引黄灌区普遍分布，常见于湿地低洼处、盐碱地及黄河岸边退耕湿地处。高20厘米，盖度可达70%。常见伴生种有芦苇、蒲公英、海乳草等。

(8)白茎盐生草群系。宁夏引黄灌区普遍分布，常见于湿地岸边及河滩地。高40厘米左右，盖度可达60%。常见伴生种有碱蓬、多裂骆驼蓬等。

(9)盐地风毛菊群系。宁夏引黄灌区广泛分布，常分布于湿地岸边和一些低洼盐碱地。高15厘米，盖度30%左右。伴生种有乳苣、海乳草、碱蓬等。

(10)骆驼蓬群系。宁夏广泛分布，可适应干旱的土壤环境，盖度在40%左右，高度15厘米左右。伴生种有匍根骆驼蓬、蒺藜、白茎盐生草等。

2.3 草丛湿地植被型组

2.3.1 莎草型湿地植被组

(1)水莎草群系。宁夏广泛分布，多见于湖边，多形成单优势种群落，盖度在30%～70%不等，高度在60厘米左右。伴生种有藨草、扁杆藨草、水蓼等。

(2)藨草群系。宁夏广泛分布，主要生长在岸边潮湿地，易形成单优势种群落，盖度可达60%，高度在60厘米左右。伴生种有水莎草、头状水莎草、水麦冬等。

(3)水葱群系。宁夏引黄灌区广泛分布，通常分布在浅水区及水陆交错带，易在水边形成单优势种群落。高度可达120厘米，盖度在60%左右。常见伴生种有藨草、水莎草、水麦冬等。

(4)中亚苔草群系。宁夏分布，在哈巴湖自然保护区发现。高度在20厘米左右，盖度可达70%。常见伴生种有蒲公英、狗尾草、乳苣等。

2.3.2 禾草型湿地植被型

(1)芦苇群系。宁夏最常见的湿地植被群系之一；对水分要求不高，分布地带较广，从浅水区到岸边都有分布。群落内总盖度为70%～100%，高度在水分较低的情况下10～30厘米；在水中或水分较好的情况下，高度可达260厘米。易形成单一优势种。群落边缘常见蒲公英、长苞香蒲、碱蓬等。

(2)赖草群系。宁夏普遍分布，对水分要求不严格，能适应干旱地区。高度60厘米，盖度可达40%，在水分较好的条件下，盖度较高。常见伴生种有拂子茅、苣荬菜、骆驼蓬等。

(3)冰草群系。宁夏仅中部干旱区和山地有分布，在全国第二次湿地资源调查(宁夏区)中，哈巴湖自然保护区发现，高60厘米，盖度可达30%。常见伴生种有赖草、山苦荬等。

(4)菰群系。此物种为引进物种，种植区主要集中在阅海公园湿地北部。在近几年中，沿黄河带已有通过种子传播自然分布的，主要分布于近岸浅水区，可形成单一优势种群落，盖度可达70%以上，高度150厘米左右。常见伴生种有无芒稗、酸膜叶蓼、狭叶香蒲、水蓼等。

(5)无芒稗群系。宁夏广泛分布，对水分要求不高，但在岸边分布较多，易形成单优势种群落，盖度可达70%，高可达80厘米。常见伴生种有水蓼、灰绿藜、碱蓬等。

(6)蔺状隐花草群系。宁夏引黄灌区有分布，但不多，在全国第二次湿地资源调查(宁夏区)中，只在吴忠黄河湿地和天河湾发现，共同点都是在柽柳群落下，高 20 厘米，盖度可达 70%。伴生种有虎尾草、水分较好地区有头状水莎草分布。

(7)假苇拂子茅群系。宁夏广泛分布，对水分有一定要求，属于中生植物。在调查样地中，与赖草交错分布。高度 80 厘米，盖度可达 60%。伴生种有赖草、蓼子朴、乳苣等。

(8)长芒棒头草群系。宁夏引黄灌区广泛分布，通常分布在水陆交错带。高度 20 厘米左右，盖度约 70%，在群落中容易和其他物种共建。伴生种有碱蓬、水葫芦苗、水麦冬等。

(9)芨芨草群系。宁夏广泛分布，在湿地调查中，其分布通常距水源有一定距离，能适应干旱的环境。盖度 50% 左右，高度可达 150 厘米。伴生种有狗尾草、白茎盐生草等。

2.3.3　杂类草湿地植被型

(1)狭叶香蒲群系。宁夏广泛分布，主要分布在水体浅水区，易形成单一种群落，盖度约 70% 左右，高度 140 厘米左右。常见伴生种有芦苇、长苞香蒲、菖蒲等。

(2)长苞香蒲群系。宁夏引黄灌区广泛分布，植株大小和狭叶香蒲相当，雌花花序较狭叶香蒲短，在浅水区或水陆交错区易形成单优势种。盖度 65%，高度 120 厘米左右。常见伴生种有慈姑、芦苇、狭叶香蒲等。

(3)小香蒲群系。宁夏引黄灌区广泛分布，和长苞香蒲相比，植株较小，分布在浅水区及水陆交错区。盖度可达 70%，高 100 厘米左右。常见伴生种有水莎草、长苞香蒲、扁杆藨草等。

(4)花蔺群系。宁夏引黄灌区广泛分布，通常分布在浅水高地处或岸边，在 8 月份开花，高 60 厘米，盖度可达 40%。常见伴生种有芦苇、菖蒲、水莎草、酸膜叶蓼等。

(5)水蓼群系。宁夏广泛分布，通常分布在水陆交错带或偏上区域。盖度可达 70%，高 100 厘米左右。伴生种有酸膜叶蓼、芦苇、藨草等。

(6)海乳草群系。宁夏广泛分布，通常分布在水陆交错带偏上区域。常匍匐生长，高小于 10 厘米，盖度可达 50%。伴生种有碱蓬、芦苇、长叶碱毛茛等。

(7)节节草群系。宁夏广泛分布，通常分布在各大湿地的岸边。由于生境差异，长势有很大区别，在水分缺乏地区，地上部分较少，在水分充足地区，高度可达 50 厘米，盖度可达 60%。常见伴生种芦苇、赖草、拂子茅等。

(8)长叶碱毛茛群系。宁夏引黄灌区广泛分布，集中分布在水陆交错区偏上，通常和同属的水葫芦苗形成群落，水葫芦苗常匍匐生长，高 8 厘米左右，盖度可达 70%。常见的伴生种有水葫芦苗、海乳草、乳苣等。

2.4　浅水植物湿地植被型组

2.4.1　漂浮植物型

槐叶苹群系。宁夏引黄灌区广泛分布，主要发育于较为平静的水体表面，盖度约 80%。在鸣翠湖湿地公园荷花池内较多，常见伴生种有金鱼藻、狐尾藻等。

2.4.2　浮叶植物型

(1)荇菜群系。宁夏引黄灌区广泛分布，在新修的滨河大道两侧及吴忠黄河湿地处分布较多，盖度可达 80% 以上，以单优势种形成连片的群落。常见伴生种有穿叶眼子菜、轮藻、金鱼藻等。

(2)浮叶眼子菜群系。宁夏引黄灌区广泛分布，主要生长在静水湖泊边缘浅水区及沟渠中，盖度可达60%以上。主要伴生种有菹草、穿叶眼子菜、穗状狐尾藻等。

(3)两栖蓼群系。宁夏引黄灌区广泛分布，主要生长在湖泊静水水域，盖度可达70%以上，主要伴生种有穿叶眼子菜、菹草、浮萍等。

(4)莲群系。在宁夏引黄灌区有栽培，在全国第二次湿地资源调查(宁夏区)中，阅海湿地公园、鸣翠湖湿地公园及鹤泉湖都有栽培，盖度为80%左右，是宁夏的一种特色经济、观赏植物。常有荇菜、狐尾藻、金鱼藻等伴生。

2.4.3 沉水植物型

(1)竹叶眼子菜群系。宁夏引黄灌区广泛分布，盖度可达80%以上。在全国第二次湿地资源调查(宁夏区)中，在天河湾附近有发现，植株在水中长可达100厘米，常见伴生种有金鱼藻、菹草、穿叶眼子菜等。

(2)穿叶眼子菜群系。宁夏引黄灌区广泛分布，在水体中最为常见。在阅海公园湿地、鸣翠湖湿地、天河湾及吴忠黄河湿地均有大量分布。盖度60%左右，长可达200厘米。常见伴生种有菹草、穗状狐尾藻、金鱼藻等。

(3)篦齿眼子菜群系。宁夏引黄灌区广泛分布，主要生长于浅水区与河沟中，能适应不大的水速，对水质要求不是很高，盖度30% ~50%，在水中长可达150厘米。常见伴生种有金鱼藻、穿叶眼子菜、狐尾藻等。

(4)金鱼藻群系。宁夏引黄灌区广泛分布，主要分布在静水区浅水带。全国第二次湿地资源调查(宁夏区)在鸣翠湖荷花池处发现，盖度可达70%以上。常见伴生种有穗状狐尾藻、穿叶眼子菜等。

(5)小茨藻群系。宁夏引黄灌区广泛分布，尤其是离稻田较近的水体中，全国第二次湿地资源调查(宁夏区)在天河湾发现，群系发育于缓流水域，盖度50%左右，在水中分布呈团状。大茨藻、金鱼藻、狐尾藻、穿叶眼子菜等为伴生种。

3 宁夏湿地植被的特点

3.1 湿地植物群系数量较多，植被型相对单调

宁夏湿地植物群系数量较多，重点调查湿地共统计到84个湿地植物群系，另有园林植物群系28个，沙生植物群系10个，以建群种出现的植物种占重点调查湿地植物总种数的54.5%，说明湿地生境较为复杂。在植被型水平上，宁夏湿地只有落叶阔叶林湿地植被型、落叶阔叶灌从湿地植被型、盐生灌丛湿地植被型、莎草型湿地植被型、禾草型湿地植被型、杂类草湿地植被型、漂浮植被型、浮叶植被型和沉水植被型9类，缺失针叶林植被型组下的暖温性湿地植被型、寒温性湿地植被型和竹林湿地植被型，也没有典型的苔藓类湿地植被类型存在。总体上看，宁夏湿地植物群系数量较多，植被型则相对单调(图3-3)。

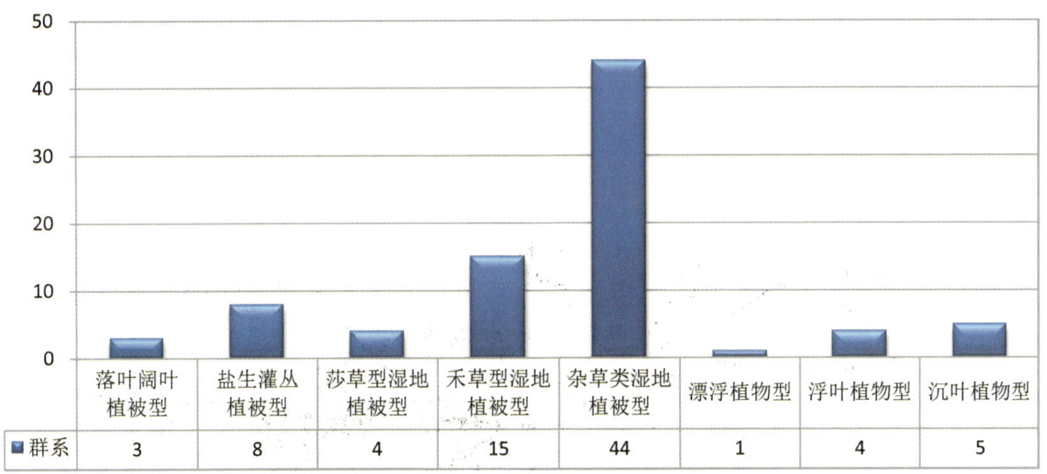

图 3-3 宁夏湿地植被型的植物群系数量特征

3.2 人为影响强，人工化特征突出

宁夏湿地的人为影响强烈，在所有的122个群系中，由园林植被构成的群系达28个，加上4个半自然半人工化的群系，26.4%的湿地植物群系都为人工建造的。虽然从数量上只占到群系总数的1/4左右，但是人工植物群系被广泛用于湿地景观建设，或条带状、或大面积地出现在各级湿地自然保护区和湿地公园的核心区和游憩点，使得湿地植被的人工化特征非常突出，越是旅游开发程度强的湿地，人工化特征越强烈，个别湿地在移土和引种过程中还造成了外来物种入侵问题。

3.3 植物群系的广布性和偶见性并存

湿地植物由于生境条件的均匀性强，往往具有广域性分布特征。但是宁夏湿地植物群系则不然，84个自然、半自然群系中，55.4%的群系只在1个重点湿地上出现；27.7%的群系在2个重点湿地出现，反映出宁夏湿地植物群系分布上的狭域性和偶见性。广布性分布的群系最主要的是禾草群湿地植被型中的芦苇群系，在所有的重点湿地都有分布；其次树柳(疑为多枝柽柳)，也是最主要盐生灌区湿地植被型；再次有碱蓬、水烛、狗尾草、沙枣等群系。偶见自然植物群系出现多的是哈巴湖国家级自然保护区、天河湾湿地、腾格里荒漠湿地、青铜峡库区鸟岛国家湿地公园等地，沙湖自然保护区、阅海国家湿地公园、鸣翠湖国家湿地公园等次之，星海湖国家湿地公园、鹤泉湖等最少，显示湿地生态系统的多样性与湖泊位置、范围、整修时间等的相关关系。

3.4 湿地植被的盐生性和沙生性明显

宁夏湿地主要分布在北部宁夏平原区及中部干旱带的闭流区等区域，为干旱半干旱的大陆性气候，湿地周边因地下水位高且排水不畅，土壤的积盐过程发育，因此，湖泊湿地周边的岸堤上、低洼的下湿滩地或地下水较浅的干滩地上都为程度不同的盐碱土，湿地盐生灌丛类型比较多，共有 17 个群系，占群系总数的 14%（图 3-4）。

湖泊水域与沙地交接过度也是宁夏湿地的空间结构特征之一，湿地区域因而也出现众多的沙生植物群系，如黑沙蒿群系、蓼子朴群系、灌木亚菊群系、沙蓬群系、沙蒿群系、蒙古虫实群系、沙芥群系等。这些群落类型为超旱生的灌丛半灌丛，本不属于湿地植被类型，但是在宁夏湿地区域，沙生植被与湿地植被有交错分布的特征。

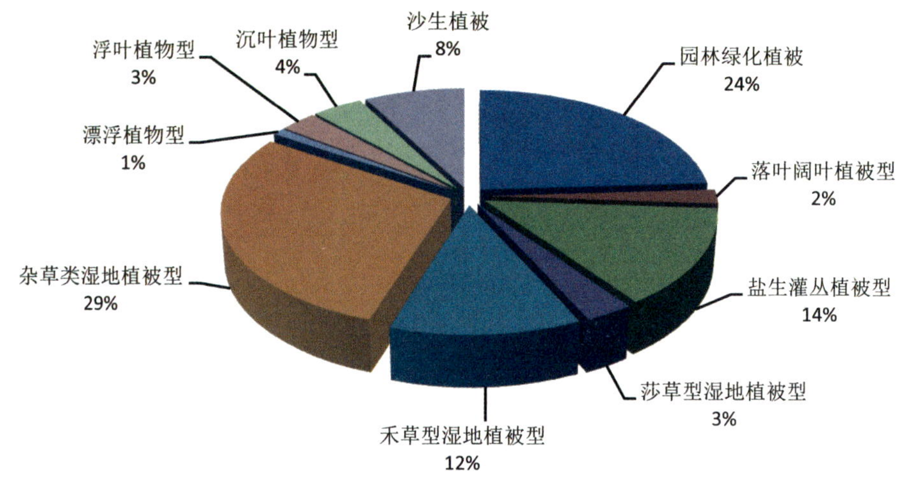

图 3-4 各植被型群系占总群系数的比例

3.5 植物群落由水生性向中旱生群落直接过渡

通常来说，湿地植物群落的建群种和优势种是水生植物、湿生植物、盐生植物或耐盐植物，群落属于水生（包括挺水、浮叶、沉水）或湿生植物群落类型，但是由于气候干旱，土壤蒸发和植物蒸腾作用极强，水生环境和陆地旱生环境之间缺乏一个由湿生到中生的交接过度地带，因此，宁夏湿地植物中缺少湿生、中湿生和湿中生优势种，水生植物群落往往直接与中生植物或旱生植物相邻分布。例如草丛湿地植被型中，建群植物除芦苇、水莎草、水葱等为挺水植物，水麦冬、狭叶香蒲等水生物外，在过湿地土壤上主要生长艾蒿、车前、荠菜、反枝苋、狗尾草、虎尾草、苣荬菜等中生草本，其他均为中旱生植物或旱生植物，如冰草、苦马豆、节节草、大蓟等旱生物或旱生草本，显示了土壤水对大气水的补偿作用，也构成了湿地植被中生—旱生化的特点。这一特点在盐生灌丛湿地中表现突出，如红砂、白刺、沙蓬等荒漠植物群落，因其能利用埋藏较浅的地下水，往往分布湖泊湿地边缘地带，而被纳入湿地植被范畴。

4 湿地植被的保护和利用情况

湿地是一种水陆过渡性生态系统类型，具有丰富的植物种和较高的生产力，为众多动物，尤其是禽类提供了栖息地和丰富的食物，因而担负着物种宝库的功能。湿地植物和植被还具有吸收有害物质，参与解毒过程，对污染物质进行吸收，通过代谢、分解、积累及水体净化，起到降解环境污染的作用。此外，在湿地中由于有机质的不完全分解导致湿地中碳和营养物质的积累，湿地植物从大气中获取大量的二氧化碳，成为巨大的碳库，在全球碳循环中发挥着重要作用。同时，湿地又通过分解和呼吸作用以二氧化碳和甲烷的形式排放到大气中，发挥出“碳汇”和“碳源”两方面的作用，在调节气候和经济生产方面也发挥着重要作用。

宁夏的湿地植被除担负着以上基本功能以外，还发挥着更加特殊的作用——湿岛作用。位于西北内陆地区的宁夏，具有典型的大陆性气候特征。森林植被主要分布在六盘山、贺兰山和罗山的中山和亚高山区，在低山区和广大的丘陵、平原、台地上，地带性植被为森林草原、草原、荒漠草原或荒漠，湿地植被则在半湿润—半干旱—干旱背景下营造了一个个湿岛，成为物种汇集和传播的“踏脚石”。除水生和湿生植物定居以外，一些在湿润和半湿润地区分布的广布性中生植物也得以存在，因此形成了多种生态类群植物共存，植被从水生—湿生—中生—旱生甚至超旱生过渡的局面。在宁夏平原灌区，纵横交错的沟渠湿地还成为植物扩散与传播的廊道，如反枝苋、大麻等植物，即沿着沟渠传播开来。由于特殊的生境条件，湿地还是宁夏绿化和人工林建植的主要片区，宁夏湿地的30余种乔木树种，基本上都是人工栽培植物。

4.1　湿地植被的保护现状

建立保护区是保护湿地植被最有效的办法。截至目前，宁夏共成立各类自然保护区12处，

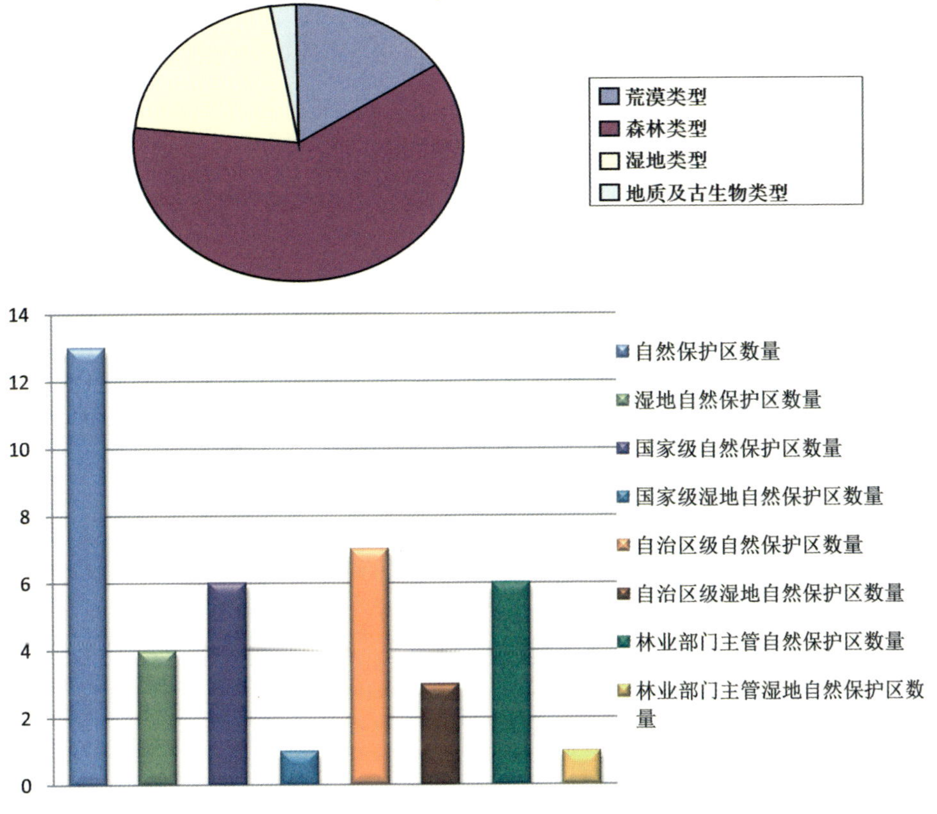

图3-5　自然保护区按类型划分及数量比例

国家级自然保护区6处，自治区级自然保护区6处，其中林业部门业务主管的6处。自然保护区按类型分，湿地类型自然保护区3处，国家级自然保护区1处，为哈巴湖国家级自然保护区，属于宁夏林业厅直管单位，已经实施了保护区建设一期工程；自治区级自然保护区2处，为沙湖自然保护区、西吉震湖自然保护区，分属宁夏农垦局和西吉县政府主管。

自然保护区按类型划分、面积、类型及数量比例，如图3-5。

通过各类湿地保护区和湿地公园的保护和建设，也保护了湿地植被。引种保护是在城镇绿化中或在新恢复的湿地片区，引种和栽植湿地植物，建构湿地植被，如莲、芦苇、垂柳、百脉根、千屈菜、柽柳、醉鱼草、节节草等是目前宁夏最常见的湿地人工栽培植物。

4.2 湿地植被的利用情况

湿地植物除了能够直接给人类提供工业原料、食物、观赏花卉、药材等，还在湿地生态系统中发挥关键作用。大致可分为生态应用价值、经济利用价值和景观应用价值。宁夏，尤其是宁夏平原是我国西北地区湿地众多的区域，黄河的频繁改道和长期以来的引黄灌溉，形成了许多牛轭湖、尾闾湖和洼地积水湖。加之宁夏位于青藏高原、黄土高原、鄂尔多斯台地、北方沙区及绿洲之间的过渡性地位，是植物交汇传播的通道，湿地植物比较丰富。发挥湿地的资源优势，通过对湿地植物资源进行多方面的合理开发利用，能获得较好的经济效益、社会效益和生态效益，同时也可以有效地促进湿地保护。

4.2.1 生态应用价值

指示作用：现在的工业化城市化造成了巨大的生态压力和环境破坏污染，湿地植物的生长、生存和繁殖等情况可以直接或间接地反映出某个水域水体相应的物理化学及其他环境情况，显示水质的变化，水体的受污染程度，如芦苇、香蒲、水葱、莲等就具有指示水体污染情况的作用。

净化水质：湿地植物通过吸收利用、吸附和富集等作用，可以消除水体中的污染物，如根系能从污水中吸收营养物质并吸附和富集重金属和一些有害有毒物质。另外，植物根系释放到土壤中的酶等物质可以直接降解污染物，且降解速度非常快，吸附水体中营养物质，增加水体中的含氧量，抑制有害藻类的大量繁殖，遏制底泥营养盐向水中的再释放，以利于水体的生态平衡。

4.2.2 经济利用价值

用作食材药材：许多湿地植物的根、茎、叶等可作为食材的同时，兼备药用滋补的功效，如莲、茭白、菱、芡实等。

用作肥料饲料原料：湿地植物可用作饲料与绿肥。如眼子菜常作为猪饲料和绿肥；浮萍可作为鱼类饵料；利用湿地植物构建天然生态环境，养殖水产品。浮萍等在水库、河道、湖泊的水面，利用网箱种植水生植物，仿生态养鱼是一种投资少、见效快、效益高、易推广的高密度集约化养鱼新方式；芦苇是湿地常见的水生植物，是造纸、建材等工业原料，根部可入药，有利尿、解毒、清凉、镇呕、防脑炎等功能。

4.2.3 景观应用价值

天然的湿地植物群落是稳定的生态系统，不但能够调节气候，净化空气，还为各种动物提供食物和栖息地，为人类提供了旅游、休闲的自然美景。

4.3 存在的问题

4.3.1 湿地水污染与富养化问题

宁夏湖泊湿地最主要的补水来源是农田灌溉退水，地下水、天然降水及渠道引入的黄河水是次一级补水来源。由于农业上大量使用农药化肥，这些面源污染物通过灌溉用水带入沟道，进而沟道退水又进入湖泊湿地，加之水产养殖过量投入营养物质等原因，造成湿地水中的氨氮、全磷、全钾、生物需氧量、化学需氧量等污染物指标往往较高，水质多为Ⅳ类，个别为Ⅴ类，极少部分为Ⅲ类，TLI 值指示的富营养化状况多为轻度，藻类种类和种群相对密集，如艾依河 2008 年已监测到藻类植物 7 门 94 属 125 种；浮游动物共有 45 种，其中轮虫 29 种，枝角类 7 种，桡足类 9 种。浮游植物与浮游动物密度平均值分别为 859.63 万个/升和 331.5 万个/升。又如沙湖近期监测到浮游植物共 8 门 29 科 61 属，其中硅藻 23 属，绿藻 19 属，蓝藻 11 属，红藻 2 属，裸藻 3 属，金藻及黄藻各 1 属。出现较多的有硅藻门的菱形藻、小环藻，绿藻门的纤维藻、卵囊藻、小球藻、栅藻，蓝藻门的平裂藻、楔形藻等。同时尚分布有能分泌毒素造成鱼类死亡的金藻门的小三毛金藻。生物密度约 1869.6 万个/升，以个体数量计，蓝藻最多占 63.5%，绿藻占 23.0%。

4.3.2 过度建设与植被人工化问题

宁夏的湿地资源开发、城乡建设及湿地公园旅游景区建设中，普遍存在着对湿地的过度开发和建设问题，如湿地恢复以挖深、扩湖为建设方向，把湿地分割成鱼塘，大量引进绿化树种进行湿地绿化美化等，往往致使湿地生境过渡性和多样化的丧失，自然湖滨带受到严重破坏，大部分的水域与陆域陡然分界，缺乏植被类型和种群分布的自然过渡，原来多样化的自然湿地群落，趋于简单化和人工化。在近年来人工整治后的湖泊湿地，可以见到大面积的开敞水域和芦苇、香蒲等单优群落的沼泽植被，伴生种极少，大大降低了湿地自然生态系统的物种多样性。人工绿化植物的引进虽然在美化绿化上功效显著，但也使得湿地群落与城镇绿化群落趋同，为提高树木草本的成活率还需要换土和大量浇水，增加了绿化成本，甚至带来了外来物种入侵问题。

4.3.3 研究基础薄弱，湖泊植物资源保护与利用有待创新

目前，有关宁夏绿洲区湿地的基础研究和应用研究还很缺乏，针对湿地植物和植被保护和利用的研究更少，湿地植物资源的利用目前还停留在比较传统的层面，如用做建材、造纸原料、饲料等，高附加值利用方式（如制做旅游纪念品，药用等）还未开展。在引进外来物种时较多考虑其景美化和绿化效应，对生态效应和生产效应考虑不足，目前宁夏湿地种植的水生蔬菜仅茭白（菰）一种，亟需开展水生资源植物种植、生态建设和综合利用方面的研究，使宁夏湿地保护和利用提高到新的高度。

4.3.4 湿地植被综合利用存在政策性矛盾

宁夏湿地植被具有类型多样、过渡性强等特点，湿地植物资源因而也具有用途比较广泛的特征，如白刺、赖草、拂子茅、甘草、隐花草、芨芨草等湖岸和湖滩盐生植物均为优良牧草；盐爪爪、白茎盐生草、碱蓬、猪毛菜等也是辅助性饲草，芦苇、水莎草、藨草等则是牛、马等大牲畜喜食的植物。湿地不仅是传统意义上的草场，而且是产草量最高、载畜量最大的一种。但是近年来禁牧政策的实施，湿地植被的天然草场效应被淡化，尤其是农区禁牧以后，大量的农区湖滩与沟渠沿线的湿地植物资源也被限制放牧，而这部分饲草虽然质优但因分布分散，没有人为采收价

值，资源浪费问题突出。甚至一些湿地在人工绿化时选用了紫花苜蓿、百脉根等优良牧草，也因为政策约束而只能作为生态用地，不能发挥其生产价值。

第二节 湿地动物资源

野生动物是国家的重要资源，是湿地生物多样性的重要组成部分，是湿地景观绚丽多彩的活力因素，是湿地生态健康与否的重要标志。宁夏湿地野生动物物种非常丰富，主要是由于宁夏独特区位决定的。宁夏地处我国内陆，是我国内流区与外流区、季风区与非季风区、干旱区与半干旱区、草原与荒漠的交界线；在动物地理区划上是蒙新区、黄土高原区和青藏区的交汇处；全球八条重要鸟类迁徙通道中有两条(中亚，东亚和澳大利亚)覆盖宁夏。宁夏贺兰山区是全国八大生物多样性中心的阿拉善—鄂尔多斯生物多样性中心的核心区域，六盘山区则处于秦岭生物多样性中心的北缘。黄河纵贯宁夏397公里，2000多年的黄灌历史孕育了沟渠纵横，稻花飘香，湖泊星布，渔畅鸟鸣的塞外湿地景观。而在腾格里沙漠边缘、毛乌素沙地腹地亦有大量的季节性湿地存在。同时宁夏南北长约500公里，东西宽约300公里，地域狭长，地貌破碎严重，景观异质性强，致使湿地生态系统与干旱山地森林，荒漠沙漠、湿润半湿润山地森林、灵盐沙地丘陵台地有机统一、紧密交织，构筑了宁夏独特的综合生态系统，也使得宁夏湿地动物物种异常丰富多样。境内丰富的湖泊、河流、滩涂等湿地生境更为众多野生动物物种提供了栖息、繁衍、觅食的理想场所。

1 湿地野生动物种类和特点

1.1 宁夏野生动物种类组成

调查表明，宁夏湿地脊椎动物有139种，隶属于6纲19目33科(表3-2)。其中，鱼纲3目5科31种。两栖纲2目4科7种，爬行纲2目2科2种，鸟纲10目19科96种，哺乳纲2目3科3种。

表3-2 宁夏湿地脊椎动物基本情况表

	鱼 纲	两栖纲	爬行纲	鸟 纲	哺乳纲	合 计
目	3	2	2	10	2	19
科	5	4	2	19	3	33
种	31	7	2	96	3	139
合 计	31	7	2	96	3	139

1.2　湿地野生动物资源特点

1.2.1　野生鱼类和鸟类资源特别丰富

宁夏湿地脊椎动物与宁夏同类物种组成情况(表3-3)。湿地脊椎动物目、科、种分别占宁夏脊椎动物目、科、种总数的63.3%、40.7%和33.8%。其中，湿地鱼类种类数占全区鱼类总种数的100%，两栖类占116.7%(大鲵为新记录种，导致两栖类物种增加，百分比超过100%)，爬行类占10.5%，鸟类占34.0%，哺乳类占4.1%。由此可见，湿地是宁夏内野生脊椎动物分布最为集中的地方之一，尤其是鱼类(100%)、两栖类(116.7%)、鸟类(34.0%)更是其他生态系统生境内物种数量所不能比拟的。因此，保护湿地对于维护宁夏的生物多样性具有重要意义。

表3-3　宁夏湿地脊椎动物与宁夏脊椎动物基本情况比较表

类　别	湿地脊椎动物			宁夏脊椎动物			湿地脊椎动物占宁夏同类物种比例(%)		
	目	科	种	目	科	种	目	科	种
鱼　类	3	5	31	3	5	31	100.0	100.0	100.0
两栖类①	2	4	7	1	3	6	200.0	133.3	116.7
爬行类	2	2	2	2	8	19	100.0	25.0	10.5
鸟　类	10	19	96	18	46	282	55.6	41.3	34.0
哺乳类	2	3	3	6	19	73	33.3	15.8	4.1
合　计	19	33	139	30	81	411	63.3	40.7	33.8

注：本表主要参照《宁夏脊椎动物志》。

①两栖类中大鲵为新记录种，种类增加，导致物种比例超过100%。

1.2.2　鸟类珍稀及保护物种比例高

在这96种湿地鸟类中，其中国家I级保护鸟类2种，分别是黑鹳、中华秋沙鸭；国家II级保护鸟类10种，分别是鸳鸯、大天鹅、小天鹅、白额雁、蓑羽鹤、灰鹤、斑嘴鹈鹕、白琵鹭、角䴙䴘、黑浮鸥，其他84种均为国家保护的有益的或者有重要经济、科学研究价值动物(图3-6)。

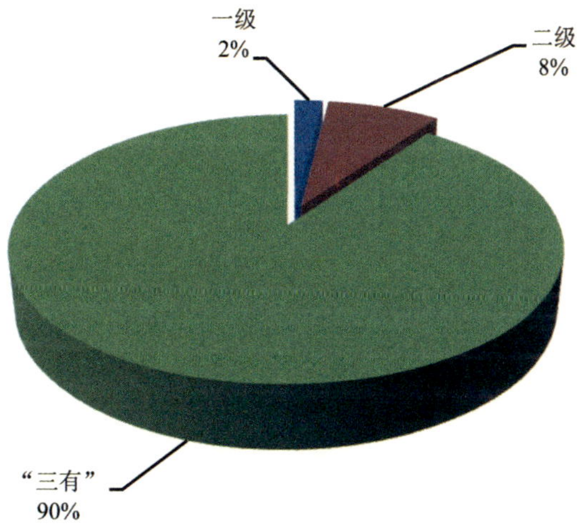

图3-6　鸟类珍稀及保护物种比例图物种

列入《濒危野生动植物种国际贸易公约》(CITES)名录的有14种，其中列入国际贸易保护公约附录Ⅱ的有黑鹳、白琵鹭、花脸鸭、灰鹤、蓑羽鹤、鹗6种；附录Ⅲ的有牛背鹭、大白鹭、针尾鸭、绿翅鸭、赤颈鸭、白眉鸭、琵嘴鸭、白眼潜鸭8种。

列入观赏鸟类名录保护的物种共有9种，其中易危种(V)鸿雁、小白额雁、花脸鸭、白眼潜鸭、青头潜鸭、中华秋沙鸭、斑嘴鹈鹕7种；接近受危种(NT)鸳鸯、灰头麦鸡2种。

列入《中国濒危物种红皮书》(RDB)名录保护的物种共有8种，其中稀有(R)种有中华秋沙鸭、鹗2种；濒危(E)种有黑鹳1种；易危(V)种有大天鹅、小天鹅、鸳鸯、白琵鹭4种，不确定(I)种有蓑羽鹤1种。

属于《中日候鸟保护协定》的物种有角䴙䴘、凤头䴙䴘、白眼潜鸭、鹊鸭、斑头秋沙鸭、白腰草鹬、长趾滨鹬等61种。

属于《中澳候鸟保护协定》的物种有白眉鸭、牛背鹭、大白鹭、黄斑苇鳽、琵嘴鸭、白腰草鹬、白腰杓鹬等22种。

属于《宁夏区保护规定》的物种有鸿雁、豆雁、灰雁、罗纹鸭、绿头鸭、斑嘴鸭、凤头潜鸭等23种。

1.2.3 经济动物种类多

宁夏湿地野生经济动物资源丰富，其中鱼类是湿地中经济动物种类最多，经济价值最高的湿地动物。青鱼、草鱼、鲢鱼、鳙鱼是著名的四大家鱼，其他重要的经济鱼类还有团头鲂、鲤鱼、鲫鱼、鳊鱼、鳜鱼等。随着人们生活水平提高，对饲料和药物养殖的家养鱼类产品越来越排斥，而更青睐野生的杂鱼，如盛产于黄河流域湿地的赤眼鳟、六盘山湿地的虹鳟鱼等皆成为酒席上等菜肴。此外，鳑鲏鱼、马口鱼、宽鳍鱲、棒花鱼、䱗鲦、麦穗鱼等小型鱼类，是各种水禽的食物生物资源库，在保育湿地水禽方面发挥了重要的作用。

就两栖爬行动物而言，花背蟾蜍、黑眶蟾蜍、黑斑蛙3种在农田害虫生物防治方面发挥着重要作用，中国林蛙不仅是重要的经济动物，还是重要的药用动物和实验动物。湿地野生的中华鳖则是具有很高经济价值的滋补食品和名贵菜肴，由于人类对其过度捕杀和破坏生境，野生资源亟待保护。2009年调查中将大鲵收录，它属国家一级保护物种，同时也是名贵的滋补食品。蛇类有1个科1种，即虎斑颈槽蛇，在维护生态平衡方面起着重要的作用，由于它的药用价值高，可作为经济开发利用的人工驯养蛇类的种源。

1.3 常见湿地动物种类

1.3.1 鸟类

鸟类是滩涂湿地野生动物中最具代表性的类群，是湿地生态系统的重要组成部分，宁夏湿地常见鸟类有：鸭科的斑嘴鸭、赤嘴潜鸭、白眼潜鸭、赤麻鸭，翠鸟科的普通翠鸟，秧鸡科的骨顶鸡、黑水鸡，鹬科的白腰草鹬，反嘴鹬科的黑翅长脚鹬、反嘴鹬，鸻科的环颈鸻、灰头麦鸡，鸥科的红嘴鸥、银鸥、普通燕鸥，鹰科的鹗，䴙䴘科的小䴙䴘、凤头䴙䴘，鹭科的大白鹭、苍鹭、夜鹭，鹡鸰科的白鹡鸰等。

1.3.2 鱼类

宁夏鱼类资源丰富，常见的淡水鱼类有青鱼、草鱼、鲢鱼、鳙鱼、鲤鱼、鲫鱼、鲇鱼等，前四者俗称四大家鱼，以及黄颡鱼、长吻鮠、鳜、泥鳅、暗纹东方鲀等经过人类引种驯化养殖的野生鱼类，乌鳢、大银鱼、香鱼等湖泊定居性鱼类。

1.3.3 两栖类

宁夏常见的两栖动物有花背蟾蜍、黑斑蛙、中国林蛙等，分布较广，资源较多。

1.3.4 爬行类

宁夏常见的爬行动物有中华鳖、虎斑颈槽蛇等，分布较广，资源较多。

1.3.5 哺乳类

宁夏常见的哺乳动物有麝鼠分布较广，资源较多。喜马拉雅水鼩主要分布在泾源、西吉两县，麝鼹主要分布在灵武、盐池两地。

1.4 物种的改变

与以往的统计资料相对比，2009 年调查新发现的鸟类物种有：白腰杓鹬、水雉、金斑鸻、西伯利亚银鸥(织女银鸥)、鸥嘴噪鸥、黄嘴白鹭、中白鹭、牛背鹭、池鹭(表 3-4)。

表 3-4 2009 年调查发现居留型改变的鸟类物种表

序号	物种名称	原居留型	现居留型
1	普通鸬鹚	旅鸟	夏候鸟
2	大白鹭	旅鸟	夏候鸟
3	白琵鹭	旅鸟	夏候鸟
4	翘鼻麻鸭	旅鸟	夏候鸟
5	绿翅鸭	旅鸟	夏候鸟
6	绿头鸭	旅鸟	夏候鸟
7	赤膀鸭	旅鸟	夏候鸟
8	琵嘴鸭	旅鸟	夏候鸟
9	赤嘴潜鸭	旅鸟	夏候鸟
10	白眼潜鸭	旅鸟	夏候鸟

2 湿地鸟类

2.1 种类和分布

宁夏湿地鸟类共有 96 种，隶属于 10 目 19 科，其中雁形目种类最多，占宁夏湿地鸟类总数的 31.3%，其次是鸻形目与鹳形目的鸟类，分别占宁夏湿地鸟类总数的 22.9% 和 12.5%，各目鸟类数及其所占比例(表 3-5)。

表 3-5 宁夏湿地鸟类种类基本情况

目　　名	科　数	物种数	所占比例(%)
1. 雁形目	1	30	31.3
2. 佛法僧目	2	3	3.1
3. 隼形目	1	1	1.0
4. 䴙䴘目	1	3	3.1
5. 鹤形目	2	7	7.3
6. 鸻形目	4	22	22.9
7. 鸥形目	1	9	9.4
8. 鹳形目	3	12	12.5
9. 鹈形目	2	2	2.1
10. 雀形目	2	7	7.3
合　计	19	96	100.0

2.1.1 雁形目

雁形目仅有鸭科 1 科 30 种。

雁属有 5 种，均为旅鸟，鸿雁、豆雁、灰雁较为常见，主要分布在银川平原；斑头雁多分布于青铜峡库区；白额雁主要分布在平罗的黄河滩地。

天鹅属有 2 种，均为旅鸟，大天鹅、小天鹅在区内湿地分布范围主要包括青铜峡、盐池、灵武、吴忠及银川平原地区的黄河滩地。

麻鸭属有 2 种，均为繁殖鸟(夏候鸟)，赤麻鸭与翘鼻麻鸭更喜咸水环境，主要分布在清水河下游的天湖、青铜峡库区，盐池、灵武季节性湿地。

鸭属在区内湿地有 10 种，包括赤膀鸭、罗纹鸭、赤颈鸭、绿头鸭、斑嘴鸭、琵嘴鸭、针尾鸭、白眉鸭、花脸鸭、绿翅鸭，其中花脸鸭、罗纹鸭、赤膀鸭、赤颈鸭、白眉鸭、琵嘴鸭为旅鸟，斑嘴鸭为留鸟、绿头鸭、绿翅鸭为夏候鸟。斑嘴鸭、绿头鸭、绿翅鸭、赤颈鸭、针尾鸭较常见，主要分布在黄河流域，清水河流域各地。

潜鸭属已知记录有 6 种，包括赤嘴潜鸭、红头潜鸭、白眼潜鸭、青头潜鸭、凤头潜鸭、斑背潜鸭，其中赤嘴潜鸭、白眼潜鸭为夏候鸟(繁殖鸟)，其余为留鸟。白眼潜鸭、赤嘴潜鸭较为常见，宁夏各湿地均有分布。

鸳鸯属的鸳鸯为旅鸟，在区内分布在青铜峡库区、银川、平罗等地。

鹊鸭属鹊鸭为旅鸟，分布区内沿黄湿地。

秋沙鸭属区内见有 4 种，分别为普通秋沙鸭、斑头秋沙鸭和中华秋沙鸭，均为旅鸟，斑头秋沙鸭主要分布在银川平原沿黄各湿地，中华秋沙鸭见于青铜峡库区和永宁，普通秋沙鸭宁夏各湿地均有分布。

2.1.2 䴙䴘目

䴙䴘目有䴙䴘 1 科 3 种，小䴙䴘与凤头䴙䴘分布广泛，在宁夏是夏候鸟(繁殖鸟)；角䴙䴘分布区狭窄，偶见于永宁、银川、贺兰。

2.1.3 鹈形目

鹈形目有2科2种，分别为斑嘴鹈鹕和普通鸬鹚，其中斑嘴鹈鹕为旅鸟，普通鸬鹚为夏候鸟(繁殖鸟)。鹈鹕科有斑嘴鹈鹕1种，见于永宁和平罗。鸬鹚科有1种，普通鸬鹚最为常见，区内主要分布于沿黄各湿地。

2.1.4 鹳形目

鹳形目有3科12种，分别为黄嘴白鹭、苍鹭、草鹭、大白鹭、中白鹭、牛背鹭、池鹭、夜鹭、黄斑苇鳽、大麻鳽。其中黄嘴白鹭为旅鸟，其余均为夏候鸟(繁殖鸟)。鹭科种类有10种，其中苍鹭、大白鹭、夜鹭较为常见，分布宁夏大部。鹳科有1种，黑鹳集中分布在黄河沿岸湿地。鹮科有白琵鹭1种，集中分布在黄河沿岸湿地和阅海、沙湖等地。

2.1.5 隼形目

隼形目有1科1种，鹗，为留鸟，鹰科有1种鹗，主要分布在沿黄各湿地及中卫腾格里湖湿地。

2.1.6 鹤形目

鹤形目有2科7种，分别为普通秧鸡、白胸苦恶鸟、小田鸡、黑水鸡、骨顶鸡、灰鹤和蓑羽鹤。其中黑水鸡、骨顶鸡、普通秧鸡、小田鸡为留鸟，白胸苦恶鸟、灰鹤、蓑羽鹤为夏候鸟(繁殖鸟)。鹤科2种，其中灰鹤、蓑羽鹤较为常见，分布盐池哈巴湖湿地。秧鸡科种类有5种，其中以黑水鸡和骨顶鸡较为常见，分布遍及宁夏。

2.1.7 鸻形目

鸻形目区内湿地见有4科22种，也是湿地鸟类的重要组成部分，分别是丘鹬、针尾沙锥、扇尾沙鹬、红脚鹬、白腰草鹬、白腰杓鹬、林鹬、矶鹬、三趾鹬、乌脚滨鹬、长趾滨鹬、普通燕鸻、水雉、黑翅长脚鹬、反嘴鹬、鹮嘴鹬、金斑鸻、金眶鸻、环颈鸻、蒙古沙鸻、凤头麦鸡、灰头麦鸡。其中雉鸻科仅分布有1种，水雉见于鸣翠湖湿地，为旅鸟。鸻科分布有9种，其中金斑鸻为旅鸟，其余为夏候鸟(繁殖鸟)；凤头麦鸡、灰头麦鸡、环颈鸻、黑翅长脚鹬较为常见，遍布于宁夏大部分湿地；反嘴鹬主要分布在季节性咸水湖存在的盐池、清水河流域湿地，偶见于星海湖。鹬科记录有11种，除丘鹬、白腰杓鹬为旅鸟外，其余均为夏候鸟(繁殖鸟)，白腰草鹬为常见种，主要分布在宁夏平原各湿地。燕鸻科1种，为繁殖鸟，普通燕鸻较为常见，主要分布在中卫腾格里湖、吴忠黄河、永宁黄河等地。

2.1.8 鸥形目

鸥形目区内湿地分布有鸥科1科9种，分别为黑尾鸥、银鸥、西伯利亚银鸥、红嘴鸥、鸥嘴噪鸥、普通燕鸥、白额燕鸥、须浮鸥、黑浮鸥；其中银鸥、西伯利亚银鸥为旅鸟，其余均为夏候鸟(繁殖鸟)。鸥形目中以银鸥和红嘴鸥较为常见，分布区内沿黄湿地；普通燕鸥多见丁阅海、星海湖、沙湖、鸣翠湖、鹤泉湖、青铜峡库区等开敞湖面；鸥嘴噪鸥仅见于盐池哈巴湖北大池和狗池西地区。

2.1.9 佛法僧目

佛法僧目有2科3种，分别为普通翠鸟、蓝翡翠、冠鱼狗；均为夏候鸟(繁殖鸟)。翠鸟科有2种，普通翠鸟、蓝翡翠分布广泛；鱼狗科1种，冠鱼狗，分布在泾源县和六盘山。

2.1.10 雀形目

雀形目2科7种，分别为红尾水鸲、白顶溪鸲、灰鹡鸰、白鹡鸰、黄头鹡鸰、黄鹡鸰、水鹨；其中水鹨为旅鸟，其余均为夏候鸟(繁殖鸟)。鹡鸰科区内湿地见有5种，以白鹡鸰、黄鹡鸰等较为常见，分布遍及宁夏，灰鹡鸰主要分布在泾源六盘山和贺兰山的山间溪流地带，黄头鹡鸰主要分布在沿黄的沼泽、稻田湿地。鹟科有2种，红尾水鸲、白顶溪鸲主要分布在泾源的六盘山和贺兰山的山涧溪流湿地，数量稀少。

2.2 数量状况

2.2.1 国家重点保护鸟类的数量状况

根据2009年调查，宁夏湿地有国家Ⅰ级保护鸟类2种，分别是黑鹳、中华秋沙鸭；国家Ⅱ级保护鸟类8种，分别是鸳鸯、大天鹅、小天鹅、白额雁、蓑羽鹤、灰鹤、斑嘴鹈鹕、白琵鹭。其中黑鹳统计数量为84只，灰鹤143只，白琵鹭158只，大天鹅55只，小天鹅43只，白额雁133只；中华秋沙鸭、蓑羽鹤、斑嘴鹈鹕数量稀少，极为罕见。

2.2.2 非国家重点保护湿地鸟类状况

在区内非国家重点保护湿地鸟类中，雁形目，其中白眼潜鸭、赤嘴潜鸭、斑嘴鸭，䴙䴘目的凤头䴙䴘、小䴙䴘，鹤形目的骨顶鸡，鹳形目的苍鹭、夜鹭鸟类的数量较多。夏候鸟中以鹭科种群数量占优势，冬候鸟中以鸭科鸟类占优势。

2009年调查由于时间较短，发现的鸟类种类和数量有限，且重点保护鸟类发现较少，多为较常见鸟类。调查发现白眼潜鸭10600只、苍鹭7300只、夜鹭4800只、赤嘴潜鸭3500只、斑嘴鸭6400只、赤麻鸭3600只、骨顶鸡6800只、黑水鸡1100只、红嘴鸥1600只、大白鹭1860只、白腰杓鹬300只、小䴙䴘3400只、普通秋沙鸭1300只、灰头麦鸡5300只、普通燕鸥4500只、须浮鸥750只等。

2.3 栖息地及其保护状况

宁夏湿地鸟类资源丰富，而且国家重点保护或珍稀濒危鸟类较多，主要栖息地分布于黄河、清水河河流湿地和区内重点湖泊湿地，如腾格里湖、盐池哈巴湖、星海湖、沙湖、阅海、鸣翠湖、青铜峡库区、天湖等地。呈现明显的沿黄河狭长地带分布。

宁夏已经建设湿地类型自然保护区4处，包括盐池哈巴湖国家级自然保护区、青铜峡库区自然保护区、沙湖自然保护区和西吉震湖自然保护区。自2006年至今，建立国家湿地公园12处，由北向南依次为石嘴山星海湖国家湿地公园、农垦镇朔湖国家湿地公园、农垦简泉湖国家湿地公园、黄沙古渡国家湿地公园、银川市国家湿地公园(阅海国家湿地公园和鸣翠湖国家湿地公园2处)、鹤泉湖国家湿地公园、吴忠滨河国家湿地公园、青铜峡鸟岛国家级湿地公园、吴忠太阳山国家湿地公园、天湖国家湿地公园、固原清水湖国家湿地公园。保护区和湿地公园是宁夏湿地资源集中分布的区域，也是湿地鸟类资源最集中分布的区域，保护区和湿地公园的建立有效的保护了宁夏湿地的典型植被，支持了湿地生物多样性，湿地鸟类的栖息环境得到极大的改善，鸟类数量持续提高。

盐池哈巴湖国家级自然保护区近年来持续封沙育林育草，植被覆盖度明显增加，为区内分布的两种鹤类、灰鹤和蓑羽鹤提供了良好的栖息环境，2009 年调查发现的灰鹤集群在此地繁殖，观察到 36 只的大群。

青铜峡库区近年来收回非法占用湿地近 6670 公顷，全部退耕还湿，并且迁出保护区内的居民，给湿地鸟类营造了良好的栖息环境。黑鹳、灰鹤、大天鹅等珍稀鸟类明显增加，雁鸭类、鹭科鸟类数量呈现上升趋势，昔日西北第二大鸟岛景象重现。

由宁夏党委政府着力打造的“黄河金岸、绿色长城”一堤六线工程，对沿黄湿地进行了重新整治，虽然在一定程度上增加了人为干扰，修建了沿黄公路 403 公里，打击了长期在黄河边盗猎野生雁鸭的盗猎分子，同时也提高了人鸟和谐、保护鸟类的群众意识，在 2009 年调查中，在沿黄湿地观测到鸟类数量最大、种类最多、珍稀程度最高。

2.4 存在问题

2.4.1 栖息地的面积有所增加，但是栖息地的质量却在不断下降

主要表现在水质下降、湿地植被单一化、湿地富营养化严重，湿地水源难以保障等。

2.4.2 环境污染严重

随着湿地周边地区工农业的不合理布局与发展，有毒气体，污水及噪声逐年增加，鸟类栖息地生态质量下降，同时由于污染造成的湿地鸟类食物的减少也势必造成湿地鸟类种类和数量的波动。近年来由于农药造成的鸟类死亡案例日益增多。

2.4.3 偷捕偷猎现象客观存在，威胁鸟类生存

虽然打击力度不断加大，但是偷捕偷猎鸟类行为仍很严重，特别是在沿黄河候鸟迁徙带和大型湖泊周边，一些偷猎者以各种手段捕杀鸟类，并通过地下隐蔽途径销售到广东等地谋取利益，屡禁不止。

2.4.4 食野生动物观念作祟，影响恶劣

一些饭店、偷偷从偷猎者收购野鸭、雁，甚至国家重点保护鸟类，以野味招揽客人，部分群众以食野味为鲜，客观形成了市场需求，刺激了偷猎和贩卖行为。

3 鱼类

3.1 种类和主要分布

黄河贯穿宁夏中北部 397 公里，境内河流纵横，湖泊密布，湖荡水面广阔，淡水鱼类资源十分丰富，素有塞上江南的美誉，区内共有鱼类 31 种，分隶于 3 目 5 科 25 属 31 种(表 3-6)。

表 3-6 宁夏鱼类种类组成

目	科	属	种
鲤形目	2	22	28
鲇形目	1	1	1
鲈形目	2	2	2
总 计	5	25	31

3.1.1 物种组成

宁夏鱼类均为硬骨鱼类，种类繁多，具有重要的经济价值，计3目5科25属31种，占本区鱼类总数的100%。

其中鲤形目种类最多，达28种，为本区鱼纲总数的90.3%，绝大部分为海洋鱼类，有较高的经济价值；鲈形目次之，有2种，占鱼纲总数的6.5%，大多数有一定的经济价值；鲇形目占第三，仅有1种，占硬骨鱼纲总数的3.2%。

3.1.2 区系分析

淡水鱼类区系特点：

宁夏湿地鱼类总计31种，占区内鱼类总数的100%。

宁夏现代鱼类区系的最大特征是其区系的古老性，只有鲤科、鳅科、鲇科，种类很少，且大部分是上新世、中新世甚至渐新世纪已有的化石记录属种。这是由于从内蒙古南部到内蒙古和宁夏这广大地区，自白垩纪起已成为大湖区等内陆水系，老第三纪尚有些湖，至第三纪中后期因受喜马拉雅造山运动影响，气候才变为大陆性很强的干寒高原，这里的鱼类区系被孤立也很早，很可能部分是后套始新世鱼类区系的后裔。但银川盆地黄河水与蒙古贝加尔湖水系及蒙古西部内陆水系比较，无茴鱼科及鲑鱼科鱼类；与中亚高山区鱼类相比，无裂腹鱼亚科的种类；与南及东部江河平原区鱼类区系相比，更少鳊亚科、鲴亚科、鮠科等鱼类；与贺兰山及阴山以北内蒙古高原相比，种类稍多。但也仅有鲤、鲫、赤眼鳟、瓦氏雅罗鱼、铜鱼、北方铜鱼、大鼻吻鮈、黄河鮈、北方花鳅、泥鳅及鲇等。无特产属种，但富古老性。引起这种现象的原因可能是宁夏地区水系与南、北、东侧早已隔绝，当黄河在新中世末自黑山峡流出隆中盆地时，先入当时陕北盆地环县，后流转到较为低陷的银川盆地与后套盆地，但当其自山、峡间的河曲、保德一带流出时，该处已被喜马拉雅造山运动抬高为山，致使此处河道落差很大，水流湍急，因之，江河平原区系很多鱼类，都未能洄游分布到河套地区；在陇西黄河水系和高山峡谷缓流中生活的裂腹鱼亚科的一些鱼，也未能分布到此。

宁夏鱼类区系较为复杂，鲤、鲫、麦穗、泥鳅和鲇是古代第三纪鱼类区系复合体的成分；瓦氏雅罗鱼、花鳅等为北方平原区系复合体的种类；铜鱼属、鮈属、鳘鲦、鳑鲏、草鱼、鲢鱼、鳙鱼和团头鲂等，除个别种为土著外，悉为引进种，它们无疑都是中国江河平原鱼类区系复合体种类；长尾鲂显系北方山区鱼类区系复合体的种类；而属于南方热带鱼类区系复合体的种类仅黄黝鱼1种。综上所述，中国江河平原鱼类区系复合体的种类在宁夏为多，但大都为引进种。而古代第三纪鱼类区系复合体的种类才是宁夏鱼类区系的主体。由于河套地区上侏罗纪地层中已有弓鳍鱼、狼鳍鱼和鲤科鱼类脊椎骨化石的出现，可以这样推测，宁夏现存某些鲤科鱼类是从它们或者它们的后裔演化而来的。李思忠于1981年在《中国淡水鱼的分布区划》中提到：鲤形目鱼类是从狼鳍鱼类演化而来的，只不过后期演化中鲤形目鱼类的牙齿消失了，狼鳍鱼最大耳石位听骨，与鲤科鱼相同；鳞与鲂鱼相似。说明他们间有亲缘关系。由于河套地区始新世地层中发现内蒙古吻鲶化石，目前还没有系列连锁依据，把内蒙古吻鲶和现存鲇鱼联系起来，但可以肯定河套地区在始新世鲇形目鱼类已经相当发达，其出现较鲤形目要早。

3.2 经济种类的利用情况

宁夏湖泊密布，水面广阔，自然条件优越，浮游植物、浮游动物、水生维管束植物(水草)等饵料生物资源十分丰富，作为淡水鱼类最为重要的动物性蛋白饵料生物——底栖动物也十分丰富，为淡水鱼类提供了很好的生存发展环境。

经济价值较大的种类有青鱼、草鱼、鲢鱼、鳙鱼、鲤鱼、鲫鱼、鳊鱼、鳜鱼、大银鱼、黄颡鱼、赤眼鳟等。由于湖泊通江河道建水闸，阻断青、草、鲢、鳙等半洄游性鱼类幼苗入湖，而这些鱼仅在湖区又不能繁殖，再加上过度捕捞和环境污染，野生资源严重枯竭，前7种鱼类资源主要靠人工放养或以淡水养殖加以利用。

草鱼是以水草为主食的中层鱼类，是宁夏主要的淡水养殖种类。草鱼养殖多以银川平原地区的池塘为主，银川市、贺兰县和平罗县为主产区，多利用人工饵料资源，或与鲤、鲫同时作为主养鱼类。近些年来，由于天然螺、蚬资源衰退，养殖产量受到限制。草鱼通常与团头鲂同时作为主养鱼类，在池塘和大水面网围、网箱中与鲢、鳙等配养鱼类混养。

鲢鱼、鳙鱼是分别以浮游植物和浮游动物为主要饵料的滤食性鱼类，在能量金字塔中等级较低，因此，能量转换效率较高，为宁夏淡水养殖的主体种类。鲢鱼养殖的经济效益随着市场的需求有一定的波动和下滑，但近些年来开展养鱼治藻的研究，利用鲢滤食藻类，可以取得较好的环境和经济效益。

鲤鱼、鲫鱼为杂食性底层鱼类，鲤、鲫在湖泊鱼类资源中所占比例很大。由于部分滩涂被围垦和水生植物的衰落，大中型湖泊鲤、鲫资源大大减少，现已大部分靠人工放养。

需要说明的是，根据2009年调查，由于外来养殖鱼类——银鲫与宁夏的本地鲫鱼具有相近的亲缘关系，且在宁夏也有适合的生存环境，与本地种群发生杂交，从而干扰本地鲫鱼的自然繁殖。鳊鱼中的团头鲂(*Megalobrama amblycephala*)原产我国长江中游的湖泊，经过大规模人工繁殖和苗种培育，已成为宁夏各类水域的重要主养和配养鱼类。

鳜鱼原为野生鱼类，肉食性鱼，喜生活于水草丰盛的淡水水域，以小型鱼、虾类为食，肉质细嫩，为鱼类中上品。宁夏湿地水体的鳜鱼为20世纪90年代引入。目前，主要养殖种类为翘嘴鳜(*Siniperca chuatsi*)，进行人工繁殖和苗种培育技术的试验，并探索池塘单养、混养以及大水面网箱养殖多种模式。

其他引进鱼类资源利用。随着近些年来宁夏水产品种更新工程的实施，野生鱼类引种驯化养殖步伐加快，常见的引进鱼类种类有8目17科21种：主要包括黄颡鱼、长吻鮠、黄鳝、乌鳢、泥鳅、塘鳢、花鱼骨、暗纹东方鲀等。引进鱼种情况如下：

1. 鲟形目　鲟科　鲟属——史氏鲟　(20世纪90年代引入)
2. 鲑形目　鲑科　鲑属——虹鳟　(20世纪80年代引入)
3. 鲑形目　香鱼科　香鱼属——香鱼　(20世纪80年代引入)
4. 鲑形目　胡瓜鱼科　公鱼属——池沼公鱼　(20世纪90年代引入)
5. 鲑形目　银鱼科　大银鱼属——大银鱼　(20世纪90年代引入)
6. 鲤形目　鲤科　青鱼属——青鱼　(20世纪50年代引入)
7. 鲤形目　鲤科　草鱼属——草鱼　(20世纪50年代引入)

8. 鲤形目 鲤科 鳊属——长春鳊 (20 世纪 60 年代引入)
9. 鲤形目 鲤科 鲂属——团头鲂 (20 世纪 80 年代引入)
10. 鲤形目 鲤科 鲴属——银鲴 (20 世纪 90 年代引入)
11. 鲤形目 鲤科 鲴属——细鳞斜颌鲴 (20 世纪 90 年代引入)
12. 鲤形目 鲤科 鲮属——鲮 (20 世纪 60 年代引入)
13. 鲤形目 鲤科 鲤属——建鲤 (20 世纪 80 年代引入)
14. 鲤形目 鲤科 鲤属——锦鲤 (20 世纪 70 年代引入)
15. 鲤形目 鲤科 鲫属——彭泽鲫 (20 世纪 90 年代引入)
16. 鲤形目 鲤科 鲤属——湘云鲫 (21 世纪初引入)
17. 鲤形目 鲤科 鲢属——鲢 (20 世纪 50 年代引入)
18. 鲤形目 鲤科 鳙属——鳙 (20 世纪 50 年代引入)
19. 鲤形目 胭脂鱼科 胭脂鱼属——胭脂鱼 (20 世纪 60 年代引入)
20. 脂鲤目 脂鲤科 巨脂鲤属——短盖巨脂鲤 (20 世纪 90 年代引入)
21. 鲇形目 叉尾鮰科 叉尾鮰属——斑点叉尾鮰 (20 世纪 90 年代引入)
22. 鲇形目 鲿科 黄颡鱼属——黄颡鱼 (21 世纪初引入)
23. 鲇形目 鲿科 鮠属——长吻鮠 (20 世纪 90 年代引入)
24. 鲇形目 鲇科 鲇属——南方大口鲶 (20 世纪 90 年代引入)
25. 鲇形目 胡鲇科 胡鲇属——革胡子鲶 (20 世纪 80 年代引入)
26. 鲻形目 鲻科 鲻属——梭鱼 (20 世纪 60 年代引入)
27. 鲈形目 鮨科 鳜属——鳜 (20 世纪 90 年代引入)
28. 鲈形目 太阳鱼科 黑鲈属——大口黑鲈 (20 世纪 90 年代引入)
29. 鲈形目 丽鱼科 罗非鱼属——尼罗罗非鱼 (20 世纪 70 年代引入)
30. 鲈形目 鳢科 鳢属——乌鳢 (20 世纪 70 年代引入)
31. 鲀形目 鲀科 东方鲀属——暗纹东方鲀 (20 世纪末引入)

4 两栖类、爬行类、哺乳类

4.1 两栖动物

4.1.1 两栖动物种类

宁夏湿地自然分布的两栖动物共 7 种，分属有尾目和无尾目，共 4 科 7 种；分别为花背蟾蜍、黑眶蟾蜍、岷山蟾蜍、六盘齿突蟾、黑斑蛙、中国林蛙、大鲵(表 3-7)。

在这 7 种湿地两栖动物中，有尾目有 1 科 1 种，占湿地两栖动物种数总数的 14.3%；无尾目种类 3 科 6 种，占湿地两栖动物种数总数的 85.7%。在 4 个科中，蟾蜍科的种类最多，有 3 种，占湿地两栖动物种类总数的 42.9%；蛙科 2 种，占湿地两栖动物种类总数的 28.8%，隐鳃鲵科有 1 个种，为大鲵占湿地两栖动物种数总数的 14.3%。

表 3-7　宁夏两栖类物种组成表

目	科	种
有尾目	1	1
无尾目	3	6
总　计	4	7

4.1.2　两栖动物的分布

有尾目主要分布于平罗县沙湖。为隐鳃鲵科大鲵，1 个种，20 世纪 90 年代在宁夏平罗县沙湖捕到标本，现存放在宁夏湿地博物馆。

无尾目蟾蜍科有 3 种，花背蟾蜍在区内各地常见，黑眶蟾蜍仅分布在宁夏永宁县，岷山蟾蜍主要分布在中卫、泾源县和六盘山。蛙科中的黑斑蛙在宁夏各地都较常见；中国林蛙分布在贺兰山中段和六盘山的山涧溪流中。

4.1.3　经济种类的利用情况

由于自然栖息地减少、退化或过度捕捉，特别是近些年宁夏开展稻蟹综养，中华绒螯蟹对花背蟾蜍和黑斑蛙的蝌蚪进行了过度捕食，破坏了两栖动物的繁殖链，使近些年两栖动物的自然种群数量急剧下降。在区内两栖动物的利用上，主要有以下几方面。

(1)生物防治：花背蟾蜍、黑斑蛙等都是捕虫能手，一只黑斑蛙一年能消灭害虫 1 万多只，花背蟾蜍捕虫量是黑斑蛙的 2 倍。因此，养蛙治虫是生物防治的一个重要方面，既不费工，又可减轻农药污染。

(2)药用：蟾蜍耳后腺和皮肤腺分泌的白浆干燥后谓之蟾酥，蟾酥有解毒、消肿、止痛功效。在 20 世纪 80 年代，区内曾有人收集蟾酥。但近几年由于农药滥用，环境污染，导致蟾蜍数量不断减少，已很少有人利用。

湿地两栖动物对人类极其有益，应大力保护，除防止乱捕滥杀外，最重要的是保护它们的湿地生境，特别是在繁殖季节，对其繁殖场地的保护尤为重要。水体污染是导致蝌蚪大批减少的重要原因，尤其是临近变型的蝌蚪对外界不良环境刺激极其敏感，最易死亡和受到攻击。因此，控制环境污染是保护湿地两栖类的重要措施。

需要严格控制中华绒螯蟹的养殖规模。虽然稻蟹兼做可以提高农民的收入，但从生态平衡角度考虑，中华绒螯蟹是外来种，对于蝌蚪有着毁灭性的威胁。2009 年调查中发现的两栖类的数量极其少，与第一次调查形成鲜明对比。中华绒螯蟹取食蝌蚪，破坏花背蟾蜍和黑斑蛙的繁殖链，以前“听取蛙声一片”如今“这里的夜晚静悄悄”，在大面积养殖中华绒螯蟹的平罗县，重点调查湿地沙湖和天河湾共约 40 万亩的湿地中仅仅调查到少量的花背蟾蜍和黑斑蛙。经分析，中华绒螯蟹的入侵可能是近年宁夏两栖类族群下降的原因之一。因此，为保护本土两栖类的生物多样性有必要加强中华绒螯蟹贸易和养殖过程的管理。

4.2　湿地爬行动物

4.2.1　湿地爬行动物种类与分布

宁夏爬行动物共 56 种，其中在湿地有分布的 2 种，占区内爬行动物种数的 3.6%。宁夏内湿地分布的爬行动物隶属于2目2科，其中龟鳖目1科1种，为中华鳖，分布广泛，野外常见。有鳞目蛇亚目的1科1种，为虎斑颈槽蛇，分布广泛，野外常见。

4.2.2 经济种类的利用情况

大多数湿地爬行动物对人类都是有益的，它们在维持湿地生态系统的稳定中有着重要意义。虽然有些种类对畜牧业、养殖业甚至于人身安全带来一些危害，但通过合理措施可变害为利。目前宁夏境内湿地爬行动物的利用主要有以下几个方面。

爬行动物中，区内驯养繁殖的种类主要有龟鳖目的中华鳖、虎斑颈槽蛇。其中中华鳖的养殖及蛇类的养殖在区内有一定的规模。

中华鳖很久以来就被誉为滋补佳品，营养丰富、肉味鲜美，其肌肉富含蛋白质、钙、铁和维生素等，因此一直是人工养殖的首选品种。宁夏市场上的鳖大多数靠自然捕捞，销售价格亦较高，每公斤价格达400多元，1亩养鳖池的效益相当于50亩水稻。区内工厂化养鳖发展缓慢，应引进技术，合理引导、扩大规模，提高养殖水平和规模。

区内蛇类养殖业始于20世纪80年代中期，开始是一些蛇农将从野外捕获的蛇放在家中饲养池中饲养。饲养的种类主要是蝮蛇、虎斑颈槽蛇，用于取毒、取胆，然后再去除内脏制成蛇干。饲养的条件比较简单，技术也不过关；饲养场地分散，且时办时停。到了80年代末至90年代初，区内的蛇类养殖才走上健康发展的轨道，表现在饲养规模明显扩大，数量增多，饲养技术也有了很大的进步，但与内地相比，宁夏蛇类养殖还处于起步阶段，规模小、数量少、效益低。

4.3 湿地哺乳类

4.3.1 湿地哺乳动物种类与分布

分布在宁夏湿地的哺乳动物隶属于2个目3科，分别为啮齿目鼠科的麝鼠、鼩鼱目鼩鼱科的喜马拉雅水鼩、鼹科的麝鼹。

鼩鼱目鼩鼱科的喜马拉雅水鼩分布于宁夏隆德、泾源等地，其身体结构适应于水中生活，四肢发达，趾之两侧及足侧均具有扁而硬的刚毛，其状若蹼，体被绒密的细毛，毛具丝质光泽，能防水；耳具一个耳屏瓣膜，进入水中时瓣膜可以关闭耳孔，以防止水进入耳内，是适应溪流生境的种类。

鼹科的麝鼹分布在宁夏灵武、盐池。

啮齿目鼠科的麝鼠宁夏沿黄各县均有分布，俗称水老鼠，喜游泳和潜水，趾间具半蹼，尾扁平呈浆状，适于水中生活。栖息于河流、湖泊、沟渠、池塘岸边，以及河漫滩、黄河中滩、芦苇沼泽中，数量很大。

4.3.2 经济种类的利用情况

(1)毛皮动物：宁夏湿地哺乳动物中可以用作毛皮动物的有啮齿目的麝鼠和鼩鼱目鼹科的麝鼹，主要以麝鼠为主。按照毛皮的品种类型划分，麝鼠皮张属于有大毛细皮类型。麝鼠皮毛峰光亮、底绒细足，脊背部分毛被色泽美观，常做大衣、围脖、帽子等。宁夏麝鼠数量很大，均为野生，宁夏每年大约可以收万余张皮，作为重要的毛皮兽，应进一步加强研究，扩大人工驯养繁殖规模。

(2)科研：哺乳类因与人类亲缘关系最近，因而是理想的科研和临床实验材料，湿地哺乳类也不乏其种类。麝鼹和水鼩都是宁夏分布范围狭窄，数量稀少的湿地兽类，它在研究物种演化、仿生学、生物物理和生态恢复等方面都具有重要的意义。

5　宁夏湿地野生动物保护管理现状

目前，宁夏已经基本形成自然保护区—湿地公园—湿地保护小区的湿地鸟类保护体系网络，2008 年 11 月 1 日《宁夏回族自治区湿地保护条例》正式颁布实施，其中第二十八条禁止在湿地保护区范围内从事下列活动：第三条，破坏鱼类等水生生物洄游通道和野生动物的重要繁殖区及栖息地；第五条，非法猎捕、捡拾鸟卵或者采用灭绝性方式捕捞鱼虾类及其他水生生物，对破坏湿地野生动物的行为进行了禁令。在第二十九条，第三十二条规定不得破坏野生动物的栖息环境。并在第四十二条规定违反本条例第三十二条规定，损害野生植物物种再生能力，破坏野生动物栖息环境的，由县级以上人民政府湿地保护行政主管部门责令停止违法行为，处以每平方米五元以上十元以下的罚款。《宁夏回族自治区湿地保护条例》《野生动物保护法》《自然保护区条例》等有关法律、法规，更明确了湿地野生动物应依法受到保护。同时，配合、协调有关部门开展了以打击破坏野生鸟类为主要目标的"候鸟行动"和以禽流感监测防控为主的陆生野生动物疫源疫病监测工作。

宁夏抓住机遇，在"爱鸟周""国际荒漠化日""国际湿地日"等时机，利用广播、电视、报刊等传媒工具，通过开辟专栏、专题、专版，举办讲座等形式，不断加大宣传教育力度，使保护湿地资源，爱护生态环境成为全社会的共识。

每年都有大批候鸟途径宁夏或者在区内湿地繁殖、栖息；每年都有大量的伤残野生动物被群众救助，与银川动物园合作开展了野生动物的救护工作，使大批受伤候鸟得到了及时救助，近些年公众保护湿地野生动物的意识不断增强。

第四章 湿地资源利用

宁夏湿地类型中河滩漫地是一种很不固定的湿地类型，因河床不断变动，常有明显变化。目前这类湿地是水生生物、鱼虾、鸟类的主要栖息地和繁殖地，是重要的湿地生态系统。湖泊沼泽湿地在人类的不断改造下变成农田和鱼池，大部分生长着茂密的芦苇等水生生植物，为鸟类栖息提供了良好的条件，这些优美的自然环境为人类营造了良好的旅游休闲场所，产生了巨大的经济价值。另外在宁夏东部毛乌素沙地一带还分布着一部分咸水湖和季节性湖泊，盛产硝盐，是工业的重要原料。

总之，宁夏的湿地生态系统除了种植粮食作物外，也为人们提供了鱼类、水禽、皮毛动物、芦苇等其他动植物产品，是一个丰富的资源库。由于湿地资源丰富，还为人们提供了发展旅游业的独特优势条件，如湿地利用区可开发钓鱼、射击、划船、观鸟等旅游项目。除此之外，湿地还具有改进水质、防治洪水和风暴的侵蚀、控制水土流失，补充地下水、提供水源等功能，增强生态环境效益。也是科研院所进行生物多样性的科研、教学基地之一。

第一节 湿地资源利用现状

1　水资源利用现状

宁夏湿地水资源主要包括河流、湖泊和水库的淡水资源。宁夏江河400多条，湖泊260多个，由于所处西北干旱、半干旱地区，生态环境脆弱，中南部浅层地下水多为苦咸水，难以利用；而深层地下水埋藏深度达百米以上，作为生活用水尚可，用作生态用水，无疑又为今后埋下更大的水危机隐患。宁夏境内大部分地区年均降水量200毫米左右，水资源总量11.63亿立方米，人均占有水资源不足全国人均水平的1/10，也低于西北其他四省区和内蒙古等省份。自古以来，有“天下黄河富宁夏”之说，但近年来黄河水量的骤减使得我们不能再无节制地使用黄河水资源。黄河水利委员会原调水计划中分配给宁夏的水量是40亿立方米，宁夏人均水资源量仅达到了735立方米。宁夏水资源最为紧迫的地方还是宁南山区，固原有四大河系，即清水河、祖厉河、葫芦河、泾河。目前这四大流域地下水位都在严重下降，在海原县园河流域，地下水位从20世纪60

年代的10米已经下降到现在的50～60米，个别地方甚至下降到180米，水资源状况不容乐观。宁夏位于西北干旱半干旱地区的引黄灌区，由于长期的引黄灌溉形成了独特的自然景观格局，这种格局的形成受两个方面因素的影响，一方面是干旱少雨的自然环境背景，另一方面是长期的大水漫灌农业，二者的相互作用形成了独特的宁夏湿地，因此，湿地生态系统极其脆弱，任何不合理的干扰都将打破这种平衡，对生态环境造成破坏。

2 水资源可利用量

2.1 地表水资源可利用量

(1)宁夏地表水资源可利用量。宁夏当地多年平均地表水资源可利用量为2.969亿立方米，75%、95%保证率地表水资源可利用量分别为2.137亿立方米、1.373亿立方米(表4-1)。

表4-1 宁夏地表水资源可利用量

河 流	多年平均天然径流量	汛期洪水弃水	多年平均地表水可利用量	各保证率地表水资源可利用量		地表水资源可利用率
				75%	95%	
清水河	1.886	0.697	1.000	0.694	0.423	0.53
葫芦河	1.532	0.643	0.736	0.532	0.343	0.48
泾 河	3.264	1.705	1.233	0.911	0.607	0.38
合 计	6.682	3.045	2.969	2.137	1.371	0.44

(2)黄河过境水资源可利用量。根据1987年国务院批准的黄河水资源分配使用方案，在南水北调生效前，宁夏可利用黄河水过境地表水资源量40亿立方米，其中包括宁夏当地地表水资源可利用量。在40亿立方米地表水资源可利用量中，宁夏当地地表水可利用量最多为2.969亿立方米，占7.4%。

2.2 地下水可利用总量

宁夏地下水资源量30.733亿立方米，开采系数取0.7，则地下水可利用量为21.51亿立方米。水质矿化度，<2克/升17.85亿立方米，占83.0%，2～52克/升2.88亿立方米，占13.4%，>52克/升0.78亿立方米，占3.6%。<2克/升主要分布在引黄灌区14.57亿立方米，占67.8%，泾河0.90亿立方米，占4.2%。

2.3 水资源可利用总量

宁夏地表水资源可利用量40亿立方米(包括宁夏支流地表水资源可利用量)；山丘区地下水资源量是地表水的重复计算量，不作考虑。平原区(引黄灌区和贺兰山倾斜平原)地下水资源量与地表水不重复水资源量为2.14亿立方米，可开采系数按0.7计，可开采量为1.5亿立方米，则宁夏可利用量为41.50亿立方米。

3 湿地水资源补给的主要方式

3.1 农田灌溉退排水补给

农田灌溉退、排水是宁夏平原湖泊湿地最主要的补给来源。目前看来，宁夏湿地补水来源主要是黄河引水和农业灌溉退、排水，从性质上来说，农业灌溉退排水主体上也是处于灌排循环阶段的黄河水。如银川平原湿地补水按照《宁夏青铜峡河西灌区总排水干沟工程规划》，艾伊河流域湖泊湿地的补水方式和补水量，主要考虑“截引沟道水量、利用渠道退弃水量”，据测算，艾伊河所需截引沟道水总量为5643.4万立方米/年，占其总引水量的76%，这部分水量大约相当于银川市主要排水干沟每年排入黄河总水量的3.8%，作为湖泊湿地景观用水截流下来是可以保证的，在艾伊河的沟道总引水量中，以沟道排出的农田退水为主，渠道弃水仅为146.5万立方米/年。

灌溉退、排水对各湖泊湿地贡献率差异很大，主要取决于湖泊的位置以及与排水沟道的连通度。宁夏平原历史时期多沟渠尾闾型湖泊，近几十年的水利与农田基本建设以及湿地恢复中改变了这种格局，多数湖泊湿地都有了专门性的进出水沟渠，但是具体情况各异，比较复杂。

3.2 渠道灌水和沟道排水补给

通过各级渠道接引的黄河水，目前是宁夏湖泊湿地补水的第二大来源。宁夏湖泊湿地的渠道补水方式主要有两种，一是有计划地灌水，每年春天春灌前夕向灌渠灌域各大湖泊提闸放水，如2009年3月唐徕渠开闸补给湖泊湿地生态用水2000多万立方米，2010年春季为宝湖、艾伊河、北塔湖、银湖、沙湖、星海湖等20余个湖泊补水4000多万立方米；二是渠道尾间余水的排水补给。计划性灌水补给一般在春灌前和冬灌时进行，这样的时间分配可以避免和农业灌溉争水，渠道尾水排放补给则在灌溉季节，也是利用湖泊调剂水量的一种方法。

尽管宁夏的湖泊湿地有比较便利的渠道补水条件，但是宁夏引水指标只有40亿立方米。自20世纪70年代以来，黄河宁夏段的来水量就已经呈逐年减少趋势，按照丰增枯减的原则，很难保证各地能用足定额水量。与此同时，宁东能源化工基地每年需要引用4亿立方米以上的黄河水；城市工业用水和生活用水紧张已迫使人们不得不考虑将黄河水作为这部分用水的开源渠道，渠道灌水和排水在今后只能作为湖泊湿地生态用水的应急水源，而不宜作为常规水源。

3.3 再生水补给

城市污水的利用不但解决了环境污染的后患，而且为城市水体生态用水的供给提供了新的来源。尤其对于宁夏这样的干旱半干旱区城市，废污水是不可多得的宝贵资源。如银川市目前已有4个污水厂和2个中水厂投入运营，污水处理能力为30万立方米/日，城市污水处理率已达80%以上。目前银川市还有第五污水处理厂、望远工业园、暖泉工业园、灵武羊绒工业园、宁东镇等几个污水处理厂在陆续建设中。银川市中水日产量已达到11万立方米，折合年产为4000万立方米，如果按银川市节水型城市规划提出的18万立方米/日中水目标来匡算，中水补给可满足湖泊湿地1/3的需求量。遗憾的是由于中水质量受来水情况、天气条件情况等的影响非常大，目前用作湖泊湿地生态用水尚有一定的风险，但是远期看来可以将这类水资源作为渠道补给水或地下补给水的替代用水。

3.4　雨洪水集中补给

雨洪水是一种经济的水资源，其资源化目前被普遍看好，认为是当前解决水资源短缺的有效措施之一。一方面，宁夏地区降水季节多集中在6～9月，降水量集中，易形成暴雨洪水，尤其在西侧的贺兰山洪扇缘地带形成危害。另一方面，城市中建筑物多、硬化地面多，雨水收集也比较便捷。如能将雨水收集处理后再作为城市水体生态用水，对于暴雨洪水的水量将起到调蓄作用，削减洪涝灾害，同时还能补充地下水，从而实现洪水的资源化。目前利用建筑物进行雨水收集不是难事，困难的是没有建立起雨水储存、处理和回用系统。

3.5　转换用途水补给

转换用途水指的是因某种原因排出而另一种渠道可以使用的那部分水，主要有建筑基坑排水、工业企业冷却废水等，可以作为城市水体的二次水源加以利用。近年来，宁夏的城中湖或周边湖泊渗漏和干涸问题加剧，如丽景湖和宝湖，一年中半年左右的时间大片湖底出露，一个重要的原因就是周边高楼施工中开挖基坑所致。这部分水目前大多被排入地下管网，也有部分被用来补充建筑用水或生态用水的不足。建筑和矿业基础排水完全可以通过转换用途被二次利用，用于湖泊湿地补水。

3.6　多水联动补给

宁夏水资源供需矛盾今后将会更加突出，要保障湖城建设的生态需水量，实现湖泊湿地水平衡，必须广泛开源，统一调度，优化配置各种补给水源，实现多水联动的补水模式。今后的趋势是稳定灌溉退排水补给量，开发中水、雨水资源以及转换用途水等新的补水水源，黄河水优水优用，以应急补给为主。

4　土地资源

黄河流经宁夏397公里，穿越10个市(县、区)，引黄灌溉条件得天独厚。沿黄河两岸的平原地势平坦，土地肥沃，沟渠纵横，引黄灌溉已有2000多年的历史。宁夏现有耕地110万公顷，人均0.19公顷，居全国第四位，有待开发的后备耕地资源667多万公顷，有天然草场1400多万公顷，是全国十大牧区之一。引黄灌区现有灌溉面积40多万公顷，是全国四大自流灌区之一。宁夏人均拥有水浇地1亩以上，这一优越条件为全国省区少见。但近几年来，随着经济的发展和人口的增长，湿地已作为一种重要的后备土地资源加以利用，一些湖泊已作为农业用地、水产养殖塘或城市用地，沿黄水产养殖及旅游业发展迅速。湿地提供土地资源为经济社会的发展做出巨大的贡献的同时也受到了前所未有的威胁，湿地保护已刻不容缓。因此，为适应宁夏城市人口增长及经济的快速发展，要充分利用宁夏湿地的特点，科学制定湿地土地资源利用政策，从长远的利益加强湿地保护。

5 动物资源

动物资源是指全部生活在湿地范围内的动物种群，包括脊椎动物和无脊椎动物，这里主要是指除去鱼类的其他脊椎动物种群。本次湿地调查表明，宁夏湿地脊椎动物有139种，隶属于6纲18目32科，其中：鱼纲3目5科31种，两栖纲1目3科6种；爬行纲2目2科2种；鸟纲10目19科96种，哺乳纲2目3科3种。这些湿地野生动物是湿地中的重要动物资源，两栖动物消灭害虫的能力是大家所公认的，爬行动物也有很大的灭鼠、灭虫的能力。因此，保护动物资源，实际也就是保护湿地生态系统的稳定。

鸟类在湿地中是重要的生产者，在生态系统食物链中地位很重要，对生态系统的平衡具有关键作用。鸟类种类多，数量大，以观鸟为目的的旅游活动，是开展湿地旅游的一个重要方面，应大力提倡。狩猎活动在现有情况限制开展。因为宁夏的湿地鸟类分布比较集中，如青铜峡库区、盐池哈巴湖、中卫腾格里湖等。这些地区一但开展狩猎，则很可能使这一地区鸟类受到惊扰而离开这一栖息地，从而失去重要的鸟类资源。

调查还发现，部分动物种群数量扩大，黑鹳是国家I级重点保护野生动物，据记载在宁夏早有分布。全国第二次湿地资源调查(宁夏区)发现在青铜峡库区、吴忠黄河湿地、中卫腾格里湖等多处有黑鹳分布，其中在青铜峡库区黑鹳种群有12个，这样大的种群尚属首次发现。目前对动物资源潜在的遗传多样性资源的研究很少，亟需加强保护动物资源，保护潜在的巨大遗传信息价值。

6 植物资源

全国第二次湿地资源调查(宁夏区)宁夏共有湿地维管束植物222种，隶属57科143属(详见本书附录1)，主要有菊科、禾本科、豆科、莎草科、蔷薇科、蓼科、唇形科、伞形科等。主要有芦苇、香蒲、莲、菖蒲等种群，均属多年生草本植物。大中型水库因泥沙淤积致浅滩很多，因而挺水植物较多，目前，挺水植物主要集中青铜峡库区、腾格里湖等。中部干旱带沼泽湿地20世纪六七十年代尚有许多大面积低洼盐碱地存在，生长有大量的湿地植物，但随着降水的减少，许多盐湖因缺水而干涸，但现仍保留较大面积湿地植物，主要是苔草及蒿草群落，如盐池的哈巴湖。

芦苇可以作为造纸的原料，减少对木材的需求，香蒲和菖蒲可以编席，用于种植业和建筑业。有条件的湿地，可以适量种植这些植物，既可净化水，也可招引更多的鸟类，推动旅游业发展，获得较好地经济收益。

此外，在较大面积的湿地也可适量种植部分有价值的其他经济植物，如莲、茭白、慈姑等，植物对污水的净化作用也很高，它可以充分发挥湿地净化水质的作用。

7 景观资源

湿地景观美不胜收。银川市鸣翠湖、阅海公园，石嘴山市星海湖都对当地湿地景观资源进行了旅游开发和市场推介，开展了对湿地旅游模式、资源利用的积极探索。随着宁夏“十二五”规划的进一步落实和实施，50公里艾伊河将与七十二连湖全线贯通，“塞上湖城”将会焕发出更绚丽的光彩和魅力。

第二节 湿地利用方式

1　提供人类衣、食、住、行等方面资源

湿地是地球上最富有生产力的生态系统之一，源源不断的为人类提供各种必需品，包括食品、淡水、纤维、遗传基因、水电等产品，如利用湿地发展淡水养殖及种植。全国第二次湿地资源调查(宁夏区)水产养殖场面积达 15451.48 公顷，总产量达数百万吨，主要养殖种类有鱼、虾、蟹等；湿地芦苇和杂草被群众称旱涝保收的铁杆庄稼，是宁夏造纸、民用建筑的重要原料。

湿地种植业是主要经济作物产业，如芦苇、荷花等是湿地中有明显经济效益的资源。调查发现，湖泊生长芦苇的面积达 2/3，每年向社会提供了大量的造纸、建筑、编织等材料，每公顷芦苇可提取纤维 7500 多公斤。湿地还提供大量的动植物产品，莲、藕、鱼、虾、水稻等食品富有营养；有些湿地动植物还可入药，有许多是发展轻工业的重要原材料。湿地动植物资源的利用还间接带动了加工业的发展，湿地养殖业包括渔业、特禽养殖和家禽养殖。据统计，目前宁夏各类水产养殖达到 1.6 万公顷，水产品年产量达到近 3 万吨，年产值近 3 亿元，宁夏湿地旅游近几年突破了 20 亿元大关，其经济效益远远大于其他方面的旅游。

2　调节功能

宁夏湿地生态系统的调节功能包括调节气候和调洪蓄水。

2.1　蓄洪防旱

湿地有容纳、控制洪水、调节与减缓水流的功能。宁夏西面有巍峨挺拔的贺兰山，山势险峻，又有山下大面积的冲积扇荒漠区域，每逢雨季常有山洪暴发，而区内的湖泊湿地，就是本地区的天然滞洪区。洪水被贮存在土壤内或以表面水的形式保存于湖泊和沼泽中，是本地区补充地下水的直接来源。

2.2　贮存淡水

湿地为人们提供生活和工农业生产用水，湖泊、河流、水库、池塘都可贮存人们必须的生活用水和工农业生产用水，同时从湿地可流渗到地下蓄水系统，供人类持续使用。

2.3　调节气候，增加降水

湿地地处低凹处，底部持水性良好的泥炭土和黏重的不透水土层，且长有湿地植被，具有巨大的蓄水能力，可在短时间内积蓄洪水和容水，然而因蒸腾和蒸发作用，有较长时间排水，故而湿地可调节小气候。湿地的蒸发作用大于森林，是空旷地区蒸腾作用的 2 ~4 倍，可增加降水，同时在夏季因蒸发量大，使气温降低，冬季因吸热大于空旷陆地而使气温增高，故而湿地冬暖夏

凉，延长作物生长期。在宁夏库区、滩涂、沼泽区域，夏季比较凉爽宜人，气温比市区低2～4℃。

2.4 降解污染，净化水体

如果污水、农药、化肥、工业油脂、金属化合物、有毒物质等未经处理干净就进入湿地，这些污染物将吸附在沉积物表面上或土分子结构上。由于湿地一般水流速度缓慢，易使沉积物下沉，有毒物质储存在水底部，经生化过程，有毒物质可有效降减和转化，湿地中的芦苇、香蒲、水廖等植物具有对污染物质吸收、代谢、分解、积累及对水体净化的作用。能够在其组织中富集重金属污染物，浓度比周围水中浓度高出10万多倍，甚至有金属解毒功能。检验表明，芦苇对铁降解为92.78%，锰为94.54%，铅为80.18%。

3 引水灌溉

黄河干流引水灌溉工程始建于公元前214年(秦渠)，引黄灌区是我国古老大型灌区之一，灌区盛产稻麦，素有“天下黄河富宁夏”“塞上江南”之美称。灌区位于宁夏北部，属黄河冲积平原，南起中卫市美利渠口，北至石嘴山，南高北低，长320公里，东西宽约40公里。全灌区包括中卫、中宁、青铜峡、利通区、灵武、永宁、银川、贺兰、平罗、惠农、石嘴山、大武口等12个县(区)及15个国营农林牧场，土地总面积1万多平方公里。新中国成立前，宁夏河套引黄灌区已具相当规模，新中国成立后，进一步扩建、更新和改造，新建了一批水利工程，逐步形成了比较完善的灌排系统，灌区水利事业有了空前的发展，经过50多年的建设，灌溉面积已由新中国成立初的13万公顷发展到40万公顷，水利效益极为显著，为促进宁夏经济社会的发展发挥了重要作用。

4 文化功能

4.1 承载人类文明

众所周知，人类文明都是由水系发育而成。四大文明古国都起源于河流湿地。古埃及文明发祥于尼罗河流域，古印度文明发祥于恒河流域，古巴比伦文明发祥于两河流域，古中国文明发祥于黄河流域。世界上的底格里斯河、幼发拉底河、尼日尔河、尼罗河、印度河、湄公河及我国长江和黄河及其周边湿地是人类最早生息和养育的地方。宁夏的湿地景观是黄河上游一块弥足珍贵的资源，更是彰显回乡民族风情、体现民族和谐的文化资源，它是大自然馈赠的财富。是宁夏旅游的精品地带。

4.2 具备科普教育价值

湿地生态系统具有多样的动植物群落，蕴育国家珍贵和世界濒危物种等，有着重要的研究价值，为教育和科学研究提供了对象、材料和试验基地。一些湿地中保留着过去和现在的生物、地理等方面演化进程的信息，在研究环境演化、古地理方面有着重要价值，宁夏的阅海国家湿地公园、鸣翠湖国家湿地公园、宁夏湿地博物馆被宁夏回族自治区列为科普教育基地。

4.3 具备美学价值

湿地景观不仅是最美的自然风景之一，也是重要的旅游资源，宁夏利用湿地资源开展旅游起步较早，目前，已开展旅游的湿地有沙湖、沙坡头、黄沙古渡、鸣翠湖、鹤泉湖、天湖等湿地，仅沙湖2012年旅游收入达到2亿元左右。

5 支持功能

5.1 保护生物多样性

湿地蕴藏和养育着丰富的动植物资源，全国40多种国家一级保护鸟类中湿地鸟类就占50%，宁夏湿地生物资源有361多种：植物222种，动物139种，其中湿地鸟类96种，占全国湿地鸟类271种的79%，有国家Ⅰ级、Ⅱ级保护鸟类10种，其中国家一级保护鸟类2种，占全国湿地一级保护鸟类的5%。

5.2 防风固沙，提供生境

宁夏地处西北干旱荒漠区，直接受到腾格里大沙漠毛乌素大沙地的侵蚀，特别是在西北高气压的控制下，风多沙大是自然灾害之一。在局部地区来讲，在风经过时候不会在湿地范围内随风起尘扬沙，湿地大面积高杆植物还起到了抑制风速的作用，在某种程度上固定了沙丘的移动。沙湖湿地不仅未受沙漠侵害反而湖泊湿地的面积有所增加，沙丘完全被固定。湿地防风固沙的作用，是湖泊湿地在生态系统中的重要效益之一。

6 湿地社会效益

湿地面积的不断增加，优化和改善城市生态、投资和经济发展环境，加快了城市化的进程，带动了区域经济的全面发展，一个临水而居，择水而栖，适宜人居的良好环境正在形成。通过整治工程，湖泊、湿地功能增强，改善了自然环境、人居环境和空气质量。湖泊湿地面积增加，恢复了湿地植被、营造了滨湖植被带、提高了绿地覆盖率，在调节区域气候、保持水土、防风固沙、涵养水源、降解污染、美化环境、吸收大气中的二氧化碳、保护生物多样性方面发挥了重要作用。通过扩大湿地面积，助推宁夏水产业快速发展。宁夏已成为西部地区最大的水产养殖基地，以鱼类为主导的水产品总量以及人均占有量多年雄踞西部地区首位，水产品远销兰州、西宁、拉萨等地。“银川湖泊湿地保护与恢复项目”获得“中国人居环境奖”，“连湖渔歌”“官桥柳色”的西北“塞上江南”盛景重现银川，宁夏平原与成都平原、台湾嘉南平原、苏北平原等十个地区被评为中国“十大新天府”。2010年新年伊始，沙湖被评为“中国十大魅力休闲旅游湖泊”。2013沙湖又被评为“中国最具魅力的十大湿地”。全长158.5公里、纵跨6个县(市、区)的艾伊河，已经成为调控水流、连通水系、改善水质、鸟欢鱼跃的休闲胜景，使“黄河玉带缀玉珠、玉珠落玉盘”的美景正在显现，为宁夏湿地保护和利用描绘着更加灿烂的未来。

宁夏湿地面积的增加，优化和改善了城市生态、投资和经济发展环境，加快了城市化的进程，带动了区域经济的全面发展。宁夏湿地保护不仅显著改善了宁夏当地的生态和宜居环境，使得宁夏的经济、社会和环境得到协调发展。更为重要的是，宁夏作为黄河上游段，宁夏的湿地与黄河关系密切，湿地的恢复与保护，对于促进宁夏水资源合理利用、水生态平衡和水环境保护起着重要作用，对黄河中下游及黄河水资源可持续利用起到积极作用。宁夏作为西北干旱地区的一片绿洲，承担着我国西北地区生态屏障和生态安全的重要位置作用，湿地的恢复与保护，对于防止土地荒漠化和退化、缓解沙漠的蔓延、防风治沙、减轻对东部地区自然环境的侵蚀起着非常重要的作用。

第三节 湿地可持续利用前景分析

宁夏湿地资源分布广泛，类型多样，主要包括土地资源、生物资源、水资源、旅游资源等，随着国民经济的飞速发展，各类湿地资源的应用前景十分广阔。但由于人口增长、经济快速发展造成了对湿地资源的破坏性利用，导致宁夏湿地及其生物多样性普遍受到了威胁和破坏，功能和效益下降、环境污染加剧使宁夏的湿地面临着退化的严重威胁。如何合理利用湿地资源已成为亟待解决的问题。

1 合理利用湿地野生动物资源

湿地鸟类是湿地区系的主要物种，是可更新的自然资源，在湿地生态系统食物链中一般处于顶端，对其生态环境状态变化的反应十分敏感，一般都将湿地鸟类作为湿地环境的指示动物。宁夏湿地水鸟资源丰富，但由于栖息地破坏现象日益严重，少数人受经济利益的驱使，乱捕滥猎水鸟的现象时有发生，给水鸟资源带来了很大破坏。调查表明，某些种类的野外遇见率已明显下降，一些鸟类过去种群数量很大物种，已出现资源减少趋势；一些过去有水鸟分布的地方，由于湿地破坏或丧失，已难觅水鸟的踪影。种群数量下降的主要原因是水鸟的栖息环境受到破坏，区域生态环境逐渐恶化。

1.1 加强现有水域管理，大力改善水鸟栖息环境

应严加保护水鸟资源，禁止猎捕。制定地区性的保护鸟类法规。对少数可利用的水鸟资源实行专门管理。

1.2 实行分类指导，针对不同资源采取不同的利用方式

建立湿地动物资源动态监测体系，掌握资源动态，按濒危程度等级和资源数量，采取相应的保护措施和科学管理措施。

1.3 实行保护优先、积极保护的原则

依靠科技进步，在开发利用中探索保护的新途径，实现保护和利用的有机统一与协调发展。当前的重点是解决一些经济价值较高、社会利用量较大物种的人工饲养繁殖难题，争取以较多的

人工培育资源替代野生资源；以科技为先导，加强湿地动物产品的科技开发，发展适销对路低耗高值的产品，努力提高资源的综合利用水平，减少对野生资源压力。

1.4　树立可持续发展的观念

湿地动物资源的生存发展依赖于种群的存在、栖息生境的良好。必须牢固树立可持续发展的观念，坚持资源的利用量小于年增长量的原则，使种群得以维持在一个合理的数量水平；采取有效措施，保护幼体、母体，确保种群的繁衍和复壮；对于资源水平已下降多的一些物种，要通过禁捕、禁猎、禁渔保护和其他一些人工促进措施，使物种得到休生息养。

2　合理利用湿地植物

湿地植物与植被不仅是湿地生态系统的主要组成部分，而且还在维护湿地生态系统平衡中起着不可缺少甚至是决定性的作用。因此，合理利用湿地植物与植被对维护湿地生态系统平衡至关重要。

鉴于湿地生态系统的脆弱性，资源开发利用时必须遵循永续利用的原则，以不破坏或不直接损耗湿地资源为前提，实现可持续发展目的。对一些资源量大的植被或植物资源，可进行适度的、有计划的开发利用；很多湿地植被具有优美的景观，是珍贵的旅游资源，可进行保护性利用。

加强保护特殊或稀有植物群落，应重视和加强对动物栖息地植被的保护和周边环境的保护。

建立健全保护湿地的相关法律法规，对破坏湿地资源的行为必须进行严厉打击；对涉及湿地的大型工程必须经专家论证、环境预测评价并采取有效保护措施后方可上马；加大治污力度，严格管理污水的排放。

加强湿地害草的控制和利用研究，以达到用治结合、变害为利的目的。慎重引进湿地水生植物，以免引起严重的生态灾难。

3　合理开发湿地生态旅游

3.1　加强湿地旅游资源的统一规划

景观价值及旅游项目、城市依托、交通设施、旅游服务是现代旅游的基本条件和四大要素，要发展湿地旅游，首先要搞好宏观规划，将待建的湿地景区景点纳入规划之中，避免开发导致资源破坏。还应进一步搞好湿地景区景点的详细规划及配套设施的建设，使湿地与周边自然景观融为一体。对已开发的湿地景区景点，应发展完善景区配套设施建设，大力开发湿地旅游项目，形成富有地方特色的湿地名优特旅游产品。

3.2　强调湿地旅游的可持续发展

湿地旅游(图4-1)的开发以不违反生态规律为限度，不应超过湿地的环境承载力。开展生态旅游要端正旅游开发的指导思想，纠正“有资源就可开发”的错误提法，要坚持社会和环境协调一致的可持续发展的思路。要坚决避免重走“先污染后治理”的老路，旅游开发必须在规划中充分论证开发带来的社会和环境影响，实行开发和保护相结合。湿地资源的可逆性很差，一旦被污染或破坏，就很难恢复，有的甚至无法恢复。

3.3 合理利用湿地土地资源

在制定各项建设规划时，合理布局，尽量少占湿地，更不应填了天然湿地又在原地造人工湿地。实施规划时，按分阶段发展的要求，分期征用，防止过早地大量占用而造成浪费。对于湿地征占用的审批，应改变湿地是“闲杂地”或“未利用地”的概念，全面完善征用湿地占用费的制度与办法。

图 **4-1** 沙湖秋景

第五章 湿地资源评价

宁夏地域虽小，但湿地类型比较齐全，分布有 4 类 14 型，自然湿地占宁夏湿地面积的 82.38%，湿地生物资源较为丰富。全国第二次湿地资源调查（宁夏区）区划重点调查湿地 15 块，分别是石嘴山星海湖国家湿地公园、天河湾湿地、银川平原湿地、黄沙古渡国家湿地公园、沙湖自然保护区、阅海湿地、鸣翠湖湿地、鹤泉湖湿地、吴忠黄河湿地、哈巴湖国家级自然保护区、青铜峡湿地、腾格里荒漠湿地、卫宁平原湿地、天湖湿地和西吉党家岔震湖湿地自然保护区。重点调查湿地总面积 105590.04 公顷，占宁夏湿地总面积的 50.97%，涵盖了宁夏所有湿地类型，覆盖了宁夏 5 个地市和自然区划类型。

第一节 湿地生态状况

1 重点调查湿地的水文

全国第二次湿地资源调查（宁夏区）所区划的 15 个重点湿地区域内，水源补给状况均为综合补给；吴忠黄河湿地、卫宁平原湿地、西吉党家岔震湖湿地、青铜峡湿地、天河湾湿地、黄沙古渡国家湿地公园、天湖湿地的水源流出状况均为永久性流出，腾格里荒漠湿地的流出状况为季节性流出，鸣翠湖湿地、鹤泉湖湿地、石嘴山星海湖国家湿地公园、银川平原湿地、阅海湿地、哈巴湖国家级自然保护区、沙湖自然保护区的流出状况均为间歇性流出。

全国第二次湿地资源调查（宁夏区）所区划的 15 个重点湿地区域内，只有哈巴湖国家级自然保护区为季节性积水，其他 14 个重点调查区域均为常年积水。

全国第二次湿地资源调查（宁夏区）所区划的 15 个重点湿地区域内，丰水位、枯水位和平水位情况，如图 5-1。西吉党家岔震湖湿地的丰水位、枯水位和平水位分别达到了 18.505 米，18.500 米和 18.500 米，天河湾湿地最低，丰水位为 10.975 米，平水位为 10.960 米，枯水位为 10.965 米。

除西吉党家岔震湖湿地和哈巴湖国家级自然保护区，其他 13 个重点调查湿地丰水位处于 10.960～12.730 米，平水位处于 10.970～12.730 米，枯水位处于 10.960～12.720 米，相对平稳。

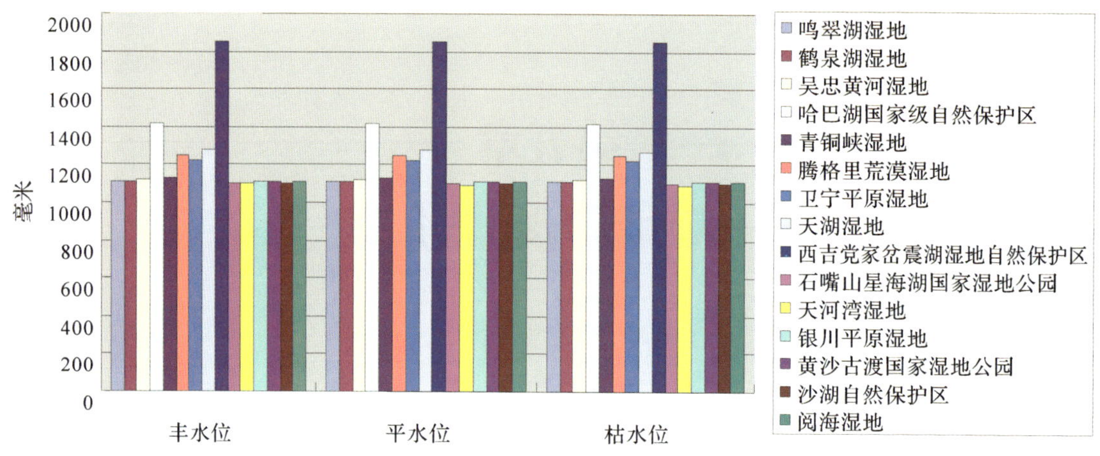

图 **5-1** 重点湿地丰水位、枯水位和平水位图

西吉党家岔震湖湿地为地震形成的堰塞湖湿地，水位明显较其他湿地深，哈巴湖国家级自然保护区湿地为季节性积水，丰水位、枯水位和平水位较银川平原湿地变化显著。

全国第二次湿地资源调查(宁夏区)所区划的 15 个重点湿地区域内，最大水深和平均水深，如图 5-2。最大水深为西吉党家岔震湖湿地，达 16 米，次之为卫宁平原湿地，达 6 米，最小的为天湖湿地，为 2.3 米；平均水深最大为西吉党家岔震湖湿地，达 4.5 米，次之为银川平原湿地，为 3.4 米，最小的为天湖湿地，为 1.2 米。

全国第二次湿地资源调查(宁夏区)所区划的 15 个重点湿地区域内蓄水量，如图 5-3。蓄水量最大的是银川平原湿地，达 33000 万立方米，蓄水量最小的为哈巴湖国家级自然保护区，为 600 万立方米。

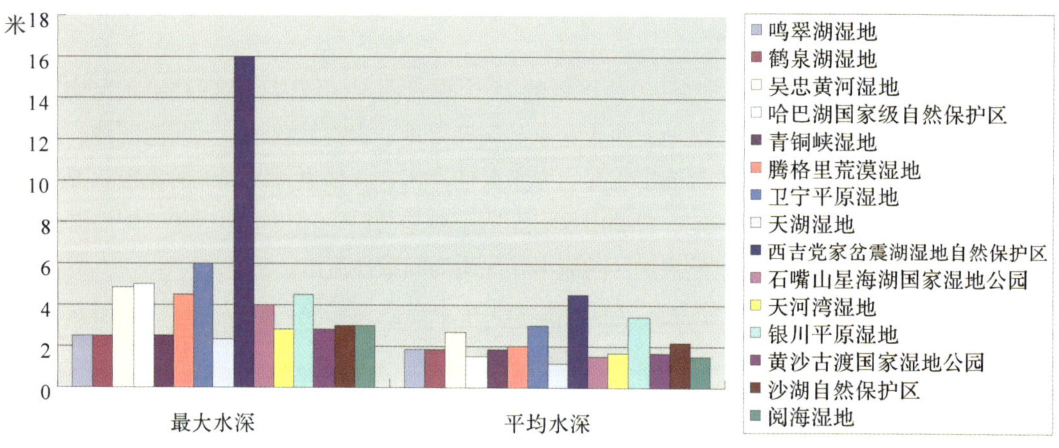

图 **5-2** 重点湿地最大水深和平均水深图

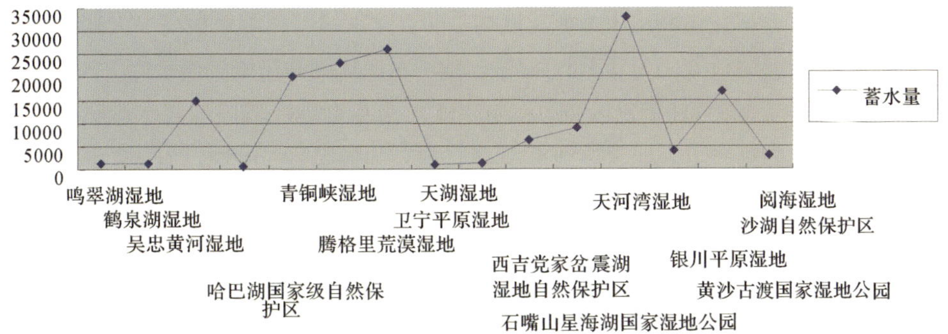

图 **5-3**　重点湿地蓄水量图

2　重点调查湿地的水质

全国第二次湿地资源调查（宁夏区）所区划的 15 个重点湿地区域内地表水 pH 值和地下水 pH 值，如图 5-4。

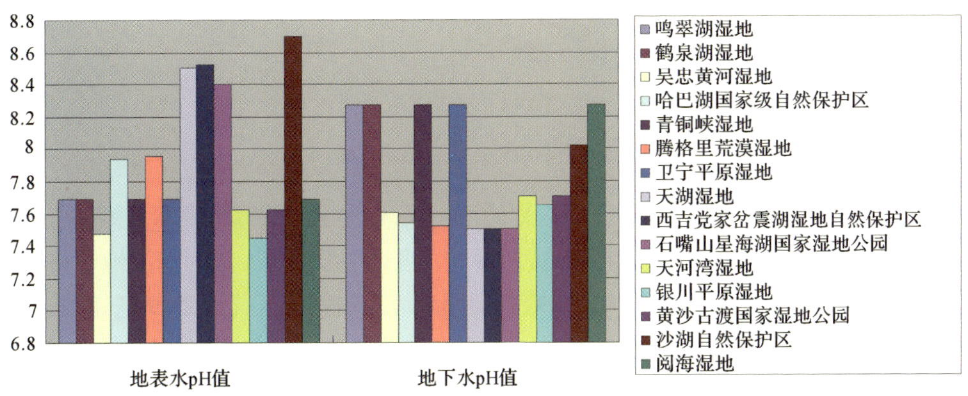

图 **5-4**　重点湿地地表水和地下水 **pH** 值图

根据地下水 pH 值分级 15 个重点调查湿地均为弱碱性；根据地表水 pH 值分级显示，中性水为吴忠黄河湿地，碱性水为天湖湿地、西吉党家岔震湖湿地、沙湖自然保护区，其余均为弱碱性水。

全国第二次湿地资源调查（宁夏区）所区划的 15 个重点湿地区域内地表水矿化度和地下水矿化度，如图 5-5。

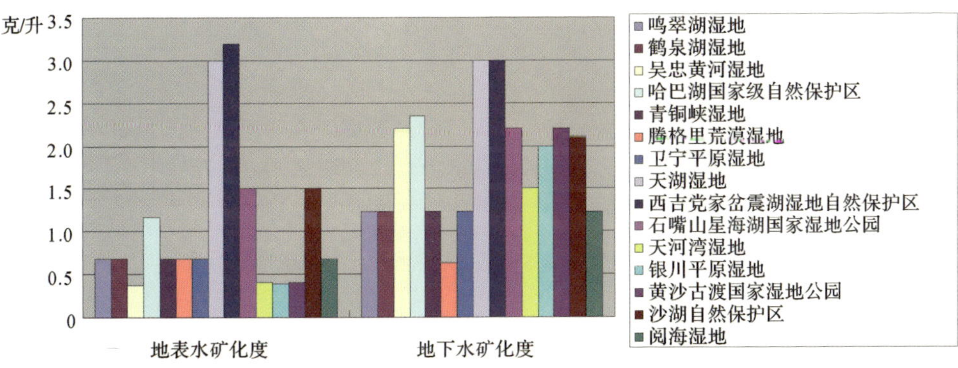

图 **5-5**　重点湿地地表水矿化度和地下水矿化度图

调查显示，地表水矿化度和地下水矿化度均是西吉党家岔震湖湿地最高，天湖湿地次之；地表水矿化度吴忠黄河湿地最低，为0.378 克/升，地下水矿化度腾格里湿地最低，为0.63 克/升。

全国第二次湿地资源调查(宁夏区)所区划的15 个重点湿地区域内地表水透明度，如图5-6。地表水透明度最好的为腾格里湿地，达到4.55 米，最差为吴忠黄河湿地，为0.2 米。

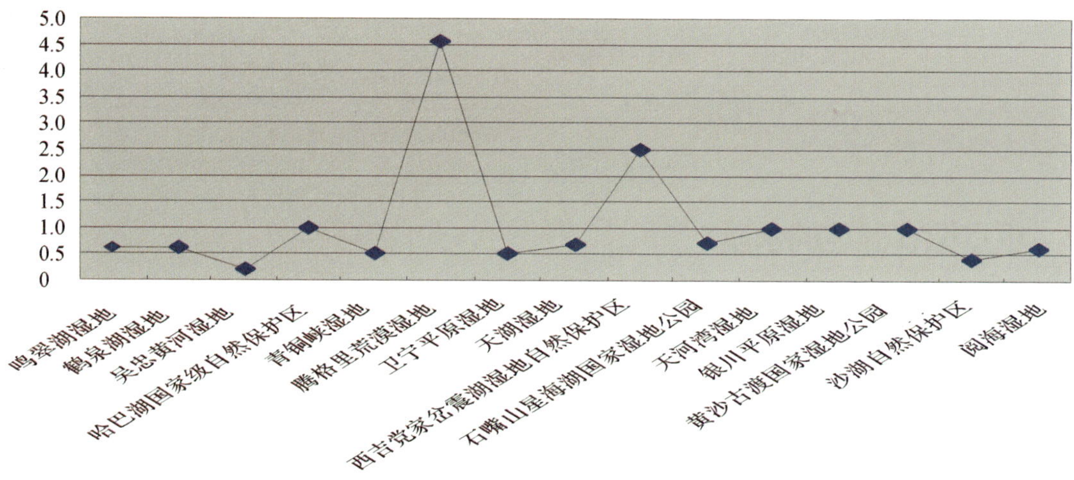

图5-6 重点湿地地表水透明度图

全国第二次湿地资源调查(宁夏区)所区划的15 个重点湿地区域内地表水总氮、总磷和化学需氧量如图5-7。地表水总氮最小值为吴忠黄河湿地、银川平原湿地、天河湾湿地和黄沙古渡国家湿地公园，仅为0.02 毫克/升，最大值为哈巴湖国家级自然保护区，为27.9 毫克/升；地表水总磷最低者为银川平原湿地，为0.025 毫克/升，最高者为哈巴湖国家级自然保护区，为3.92 毫克/升；地表水化学需氧量最高为沙湖自然保护区，为26.7 毫克/升，最低者为吴忠黄河和腾格里荒漠湿地，为1.1 毫克/升。

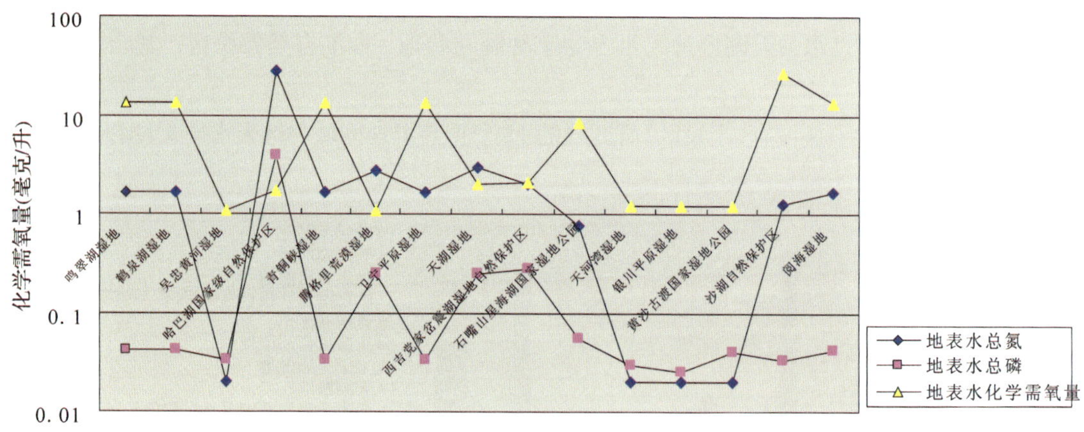

图5-7 重点湿地地表水总氮、总磷和化学需氧量情况图

全国第二次湿地资源调查(宁夏区)所区划的15个重点湿地区域内地表水pH值分级、地表水透明度分级、地表水富营养程度分级和水质标准分级，见表5-1。

表5-1 重点湿地地表水pH值分级、透明度分级、富营养程度分级和水质标准分级

序号	湿地名称	地表水pH分级	地表水矿化度分级	地表水透明度分级	地表水营养状况	地表水水质级别
1	鸣翠湖湿地	弱碱性	淡水	浑浊	富营养	Ⅳ
2	鹤泉湖湿地	弱碱性	淡水	浑浊	富营养	Ⅳ
3	吴忠黄河湿地	中性	淡水	很浑浊	中营养	Ⅲ
4	哈巴湖	弱碱性	微咸水	浑浊	贫营养	Ⅲ
5	青铜峡湿地	弱碱性	淡水	浑浊	贫营养	Ⅳ
6	腾格里荒漠湿地	弱碱性	淡水	清	贫营养	Ⅱ
7	卫宁平原湿地	弱碱性	淡水	浑浊	贫营养	Ⅲ
8	天湖湿地	碱性	咸水	浑浊	中营养	Ⅳ
9	西吉党家岔震湖	碱性	咸水	清	中营养	Ⅲ
10	石嘴山星海湖	弱碱性	微咸水	浑浊	富营养	Ⅲ
11	天河湾湿地	弱碱性	淡水	浑浊	贫营养	Ⅲ
12	银川平原湿地	中性	淡水	浑浊	贫营养	Ⅲ
13	黄沙古渡	弱碱性	淡水	浑浊	贫营养	Ⅲ
14	沙湖	碱性	微咸水	浑浊	中营养	Ⅲ
15	阅海湿地	弱碱性	淡水	浑浊	富营养	Ⅳ

根据调查，15个重点调查湿地中，有2个重点调查湿地为中性水，分别是吴忠黄河湿地和银川平原湿地；有3个重点调查湿地为碱性水，分别是天湖湿地、西吉党家岔震湖湿地自然保护区和沙湖自然保护区；其余10个重点调查湿地均为弱碱性。有2个重点调查湿地为咸水，分别为西吉党家岔震湖湿地自然保护区和天湖湿地；有3个重点调查湿地为微咸水，分别是哈巴湖国家级自然保护区、石嘴山星海湖国家湿地公园和沙湖自然保护区；其余10个重点调查湿地为淡水。有2个重点调查湿地地表水浑浊度为清，分别是腾格里荒漠湿地和西吉党家岔震湖湿地自然保护区；有1个重点调查湿地地表水浑浊度为很浑浊，是吴忠黄河湿地；其余12个重点调查湿地地表水浑浊度均为浑浊。有4个重点调查湿地为富营养，分别是鸣翠湖、阅海、石嘴山星海湖和鹤泉湖湿地；有4个重点调查湿地为中营养，分别是吴忠黄河、天湖、西吉党家岔震湖湿地自然保护区和沙湖自然保护区，其余7个重点调查湿地为贫营养。15个重点调查湿地中，有1个为Ⅱ类水质，是腾格里荒漠湿地；有9个是Ⅲ类水质，分别是石嘴山星海湖国家湿地公园、哈巴湖国家级自然保护区、卫宁平原湿地、天河湾湿地、银川平原湿地、黄沙古渡国家湿地公园、吴忠黄河湿地、西吉党家岔震湖湿地自然保护区和沙湖自然保护区；其余5个为Ⅳ类水质。

3　重点调查湿地生态评估

3.1　评价方法

根据本次宁夏调查成果数据，参照国家湿地生态状况评估标准，综合利用反映湿地生态状况的自然湿地面积、生物多样性、水环境及湿地利用和受威胁状况等方面指标，对本次重点调查湿地进行了湿地生态状况的综合评价。指标体系见表5-2。

表5-2　指标体系一览表

<table>
<tr><th>一　级</th><th>二　级</th><th>三　级</th><th>因　子</th></tr>
<tr><td rowspan="9">自然指标</td><td rowspan="3">景观指标</td><td>自然湿地率</td><td>自然湿地面积/湿地总面积</td></tr>
<tr><td>湿地密度</td><td>平均斑块面积/湿地总面积</td></tr>
<tr><td>湿地斑块密度</td><td>湿地斑块数/湿地总面积</td></tr>
<tr><td rowspan="3">生物多样性指标</td><td>单位面积物种多度</td><td>物种数量/湿地面积</td></tr>
<tr><td>植物覆盖度</td><td>植被面积/湿地面积</td></tr>
<tr><td>外来物种入侵</td><td>有、无</td></tr>
<tr><td rowspan="3">水环境指标</td><td>污染物</td><td>有、无</td></tr>
<tr><td>富营养</td><td>贫、中、富3级</td></tr>
<tr><td>水质级别</td><td>I、II、III、IV、V5级</td></tr>
<tr><td rowspan="4">人为干扰指标</td><td rowspan="2">社会指标</td><td>人口密度</td><td>人口数量/重点调查面积</td></tr>
<tr><td>利用情况</td><td>工(旅游)、农、水、未4级</td></tr>
<tr><td rowspan="2">威胁指标</td><td>威胁因子数量</td><td>数量</td></tr>
<tr><td>威胁程度</td><td>安全、轻、重3级</td></tr>
</table>

采用层次分析方法(AHP)和德尔菲法，对评价指标进行分级和赋值，确定指标权重。

各指标标准值计算：

自然湿地率，湿地密度，湿地斑块密度，单位面积物种多度，植被覆盖度，人口密度6个指标根据大小分为五级，分别赋值1、3、5、7、9，指标值越高反映的生态状况越好。

外来物种入侵，污染物两个指标，分两个等级，“有”赋值2，“无”赋值8。

营养状况分三级，贫营养赋值8，中营养赋值5，富营养赋值2。

水质级别分五级，分别赋值9、7、5、3、1。

利用情况分四级，工业(旅游)赋值3，农业(种植、牧业、林业)赋值5，水源地赋值7，未利用赋值9。

威胁因子数量，分为十级，采用“10－数量”来赋值。

威胁程度分为三级，安全赋值8，轻度赋值5，重度赋值2。

各指标权重确定(表5-3)：

表 5-3 指标体系权重表

一　级	权　重	二　级	权　重	三　级	权　重
自然指标	0.6	景观指标	0.1	自然湿地率	0.030
				湿地密度	0.012
				湿地斑块密度	0.018
		生物多样性指标	0.45	单位面积物种多度	0.108
				植物覆盖度	0.108
				外来物种入侵	0.054
		水环境指标	0.45	污染物	0.054
				富营养	0.081
				水质级别	0.135
人为干扰指标	0.4	社会指标	0.4	人口密度	0.064
				利用情况	0.096
		威胁指标	0.6	威胁因子数量	0.084
				威胁程度	0.156

根据宁夏重点湿地的调查情况，确定各个指标赋分分值标准，见表5-4。

表 5-4　湿地生态状况指标表

指　标	1	3	5	7	9
自然湿地率(%)	0~0	0~50	50~90	90~100	100
湿地密度	0~0.02	0.02~0.05	0.05~0.1	0.1~0.5	0.5~1
湿地斑块密度	0~0.001	0.001~0.003	0.003~0.008	0.008~0.02	0.02~1
单位物种多度	0~0.002	0.002~0.02	0.02~0.1	0.1~1	1~200
植物覆盖度	0~0.03	0.03~0.1	0.1~0.3	0.3~0.6	0.6~1
外来物种入侵	有 2	没有 8			
污染物	有 2	没有 8			
富营养	富 2	中 5	贫 8		
水质级别	V	IV	III	II	I
人口密度(人/平方公里)	1000~	500~1000	100~500	10~100	0~10
利用情况	工业	旅游	农林牧渔	水源	无利用
威胁因子数量	取(10－数量)				
威胁因子程度	重度 2	轻度 5	安全 8		

根据统计学累计求和公式，计算每处重点调查湿地生态状况综合得分。

$$综合得分 = \sum 指标值 \times 指标权重$$

3.2 湿地生态状况评价标准

根据综合得分，对重点调查湿地的生态状况进行综合评定，再利用统计学的自然断点法(natural breaks)对重点调查湿地的生态状况综合得分进行划分，分为好、中、差三个等级。宁夏依据国家划分标准进行划分，全国的间断值为4.718和5.648，高于后者为好，低于前者为差，处于两个数值之间为中。

3.3 重点湿地生态评估状况

3.3.1 哈巴湖国家级自然保护区湿地生态状况评估

根据三级指标13个指标因子的数值和赋值及权重，哈巴湖国家级自然保护区湿地生态状况评估分为6.363分，生态状况为好(表5-5)。哈巴湖国家级自然保护区典型湿地景观如图5-8。

图 **5-8** 哈巴湖典型湿地

表 5-5 哈巴湖国家级自然保护区湿地生态状况评估表

一级	权重	二级	权重	三级	权重	宁夏因子数值	赋值	计算值
自然指标	0.6	景观指标	0.1	自然湿地率	0.030	1.0000	9	0.270
				湿地密度	0.012	0.0278	3	0.036
				湿地斑块密度	0.018	0.0034	5	0.090
		生物多样性指标	0.45	单位面积物种多度	0.108	0.0169	3	0.324
				植物覆盖度	0.108	0.3646	7	0.756
				外来物种入侵	0.054	无	8	0.432
		水环境指标	0.45	污染物	0.054	无	8	0.432
				富营养	0.081	贫营养	8	0.648
				水质级别	0.135	III	5	0.675

（续）

一级	权重	二级	权重	三级	权重	宁夏因子数值	赋值	计算值
人为干扰指标	0.4	社会指标	0.4	人口密度	0.064	7.9005	9	0.576
				利用情况	0.096	水源地	7	0.672
		威胁指标	0.6	威胁因子数量	0.084	2.0000	8	0.672
				威胁程度	0.156	轻度	5	0.780

3.3.2 沙湖自然保护区湿地生态状况评估

根据三级指标13个指标因子的数值和赋值及权重，沙湖自然保护区湿地生态状况评估分为5.496分，生态状况为中（表5-6）。沙湖自然保护区典型湿地景观如图5-9。

图**5-9** 沙湖典型湿地

表5-6 沙湖自然保护区湿地生态状况评估表

一级	权重	二级	权重	三级	权重	宁夏因子数值	赋值	计算值
自然指标	0.6	景观指标	0.1	自然湿地率	0.030	0.8680	5	0.150
				湿地密度	0.012	0.0455	3	0.036
				湿地斑块密度	0.018	0.0026	3	0.054
		生物多样性指标	0.45	单位面积物种多度	0.108	0.0137	3	0.324
				植物覆盖度	0.108	0.3517	7	0.756
				外来物种入侵	0.054	无	8	0.432
		水环境指标	0.45	污染物	0.054	无	8	0.432
				富营养	0.081	中营养	5	0.405
				水质级别	0.135	III	5	0.675

（续）

一级	权重	二级	权重	三级	权重	宁夏因子数值	赋值	计算值
人为干扰指标	0.4	社会指标	0.4	人口密度	0.064	1.4825	9	0.576
				利用情况	0.096	旅游	3	0.288
		威胁指标	0.6	威胁因子数量	0.084	3.0000	7	0.588
				威胁程度	0.156	轻度	5	0.780

3.3.3 西吉党家岔震湖自然保护区湿地生态状况评估

图 5-10 西吉党家岔震湖典型湿地

根据三级指标 13 个指标因子的数值和赋值及权重，西吉党家岔震湖自然保护区湿地生态状况评估分为 6.244 分，生态状况为好(表 5-7)。西吉党家岔震湖自然保护区典型湿地景观如图 5-10。

表 5-7 西吉党家岔震湖自然保护区湿地生态状况评估表

一级	权重	二级	权重	三级	权重	宁夏因子数值	赋值	计算值
自然指标	0.6	景观指标	0.1	自然湿地率	0.030	1.0000	9	0.270
				湿地密度	0.012	0.1250	7	0.084
				湿地斑块密度	0.018	0.0223	9	0.162
		生物多样性指标	0.45	单位面积物种多度	0.108	0.1618	7	0.756
				植物覆盖度	0.108	0.1749	5	0.540
				外来物种入侵	0.054	无	8	0.432
		水环境指标	0.45	污染物	0.054	无	8	0.432
				富营养	0.081	中营养	5	0.405
				水质级别	0.135	III	5	0.675
人为干扰指标	0.4	社会指标	0.4	人口密度	0.064	61.4945	7	0.448
				利用情况	0.096	水源地	7	0.672
		威胁指标	0.6	威胁因子数量	0.084	3.0000	7	0.588
				威胁程度	0.156	轻度	5	0.780

3.3.4　石嘴山星海湖国家湿地公园湿地生态状况评估

根据三级指标13个指标因子的数值和赋值及权重，石嘴山星海湖国家湿地公园湿地生态状况评估分为5.536分，生态状况为中（表5-8）。石嘴山星海湖国家湿地公园典型湿地景观如图5-11。

图5-11　石嘴山星海湖典型湿地

表5-8　石嘴山星海湖国家湿地公园湿地生态状况评估表

一级	权重	二级	权重	三级	权重	宁夏因子数值	赋值	计算值
自然指标	0.6	景观指标	0.1	自然湿地率	0.030	0.9029	7	0.210
				湿地密度	0.012	0.1250	7	0.084
				湿地斑块密度	0.018	0.0024	3	0.054
		生物多样性指标	0.45	单位面积物种多度	0.108	0.0326	5	0.540
				植物覆盖度	0.108	0.1649	5	0.540
				外来物种入侵	0.054	无	8	0.432
		水环境指标	0.45	污染物	0.054	有	2	0.108
				富营养	0.081	中营养	5	0.405
				水质级别	0.135	III	5	0.675
人为干扰指标	0.4	社会指标	0.4	人口密度	0.064	87.3958	7	0.448
				利用情况	0.096	水源地	7	0.672
		威胁指标	0.6	威胁因子数量	0.084	3.0000	7	0.588
				威胁程度	0.156	轻度	5	0.780

3.3.5　黄沙古渡国家湿地公园湿地生态状况评估

根据三级指标13个指标因子的数值和赋值及权重，黄沙古渡国家湿地公园湿地生态状况评估分为6.507分，生态状况为好（表5-9）。黄沙古渡典型湿地如图5-12。

图 **5-12** 黄沙古渡典型湿地

表 5-9 黄沙古渡国家湿地公园湿地生态状况评估表

一级	权重	二级	权重	三级	权重	宁夏因子数值	赋值	计算值
自然指标	0.6	景观指标	0.1	自然湿地率	0.030	1.0000	9	0.270
				湿地密度	0.012	0.2500	7	0.084
				湿地斑块密度	0.018	0.0018	3	0.054
		生物多样性指标	0.45	单位面积物种多度	0.108	0.0269	5	0.540
				植物覆盖度	0.108	0.5519	7	0.756
				外来物种入侵	0.054	无	8	0.432
		水环境指标	0.45	污染物	0.054	无	8	0.432
				富营养	0.081	贫营养	8	0.648
				水质级别	0.135	III	5	0.675
人为干扰	0.4	社会指标	0.4	人口密度	0.064	4.4371	9	0.576
				利用情况	0.096	水源地	7	0.672
		威胁指标	0.6	威胁因子数量	0.084	3.0000	7	0.588
				威胁程度	0.156	轻度	5	0.780

3.3.6 阅海湿地生态状况评估

根据三级指标 13 个指标因子的数值和赋值及权重，阅海湿地生态状况评估分为 4.995 分，生态状况为中（表 5-10）。阅海典型湿地景观如图 5-13。

图 **5-13** 阅海典型湿地

表 5-10 阅海湿地生态状况评估表

一级	权重	二级	权重	三级	权重	宁夏因子数值	赋值	计算值
自然指标	0.6	景观指标	0.1	自然湿地率	0.030	0.7914	5	0.150
				湿地密度	0.012	0.0476	3	0.036
				湿地斑块密度	0.018	0.0066	5	0.090
		生物多样性指标	0.45	单位面积物种多度	0.108	0.0413	5	0.540
				植物覆盖度	0.108	0.1406	5	0.540
				外来物种入侵	0.054	无	8	0.432
		水环境指标	0.45	污染物	0.054	有	2	0.108
				富营养	0.081	富营养	2	0.162
				水质级别	0.135	IV	3	0.405
人为干扰指标	0.4	社会指标	0.4	人口密度	0.064	5.9483	9	0.576
				利用情况	0.096	水源地	7	0.672
		威胁指标	0.6	威胁因子数量	0.084	4.0000	6	0.504
				威胁程度	0.156	轻度	5	0.780

3.3.7 鸣翠湖湿地生态状况评估

根据三级指标 13 个指标因子的数值和赋值及权重，鸣翠湖湿地生态状况评估分为 5.703 分，生态状况为好(表 5-11)。鸣翠湖典型湿地如图 5-14。

图 5-14 鸣翠湖典型湿地

表 5-11 鸣翠湖湿地生态状况评估表

一级	权重	二级	权重	三级	权重	宁夏因子数值	赋值	计算值
自然指标	0.6	景观指标	0.1	自然湿地率	0.030	0.4233	3	0.090
				湿地密度	0.012	0.0588	5	0.060
				湿地斑块密度	0.018	0.0126	7	0.126

（续）

一级	权重	二级	权重	三级	权重	宁夏因子数值	赋值	计算值
自然指标	0.6	生物多样性指标	0.45	单位面积物种多度	0.108	0.1272	7	0.756
				植物覆盖度	0.108	0.2128	5	0.540
				外来物种入侵	0.054	无	8	0.432
		水环境指标	0.45	污染物	0.054	无	8	0.432
				富营养	0.081	富营养	2	0.162
				水质级别	0.135	IV	3	0.405
人为干扰指标	0.4	社会指标	0.4	人口密度	0.064	7.8120	9	0.576
				利用情况	0.096	水源地	7	0.672
		威胁指标	0.6	威胁因子数量	0.084	2.0000	8	0.672
				威胁程度	0.156	轻度	5	0.780

3.3.8 吴忠黄河湿地生态状况评估

图 5-15 吴忠黄河典型湿地

根据三级指标13个指标因子的数值和赋值及权重，吴忠黄河湿地生态状况评估分为6.120分，生态状况为好（表5-12）。吴忠黄河典型湿地如图5-15。

表 5-12 吴忠黄河湿地生态状况评估表

一级	权重	二级	权重	三级	权重	宁夏因子数值	赋值	计算值
自然指标	0.6	景观指标	0.1	自然湿地率	0.030	1.0000	9	0.270
				湿地密度	0.012	0.0286	3	0.036
				湿地斑块密度	0.018	0.0065	5	0.090
		生物多样性指标	0.45	单位面积物种多度	0.108	0.0146	3	0.324
				植物覆盖度	0.108	0.3269	7	0.756
				外来物种入侵	0.054	无	8	0.432

（续）

一级	权重	二级	权重	三级	权重	宁夏因子数值	赋值	计算值
自然指标	0.6	水环境指标	0.45	污染物	0.054	无	8	0.432
				富营养	0.081	中营养	5	0.405
				水质级别	0.135	III	5	0.675
人为干扰指标	0.4	社会指标	0.4	人口密度	0.064	5.5728	9	0.576
				利用情况	0.096	水源地	7	0.672
		威胁指标	0.6	威胁因子数量	0.084	2.0000	8	0.672
				威胁程度	0.156	轻度	5	0.780

3.3.9 青铜峡湿地生态状况评估

根据三级指标13个指标因子的数值和赋值及权重，青铜峡湿地生态状况评估分为5.853分，生态状况为好(表5-13)。青铜峡典型湿地如图5-16。

图**5-16** 青铜峡典型湿地

表5-13 青铜峡湿地生态状况评估表

一级	权重	二级	权重	三级	权重	宁夏因子数值	赋值	计算值
自然指标	0.6	景观指标	0.1	自然湿地率	0.030	0.8472	5	0.150
				湿地密度	0.012	0.0385	3	0.036
				湿地斑块密度	0.018	0.0022	3	0.054
		生物多样性指标	0.45	单位面积物种多度	0.108	0.0112	3	0.324
				植物覆盖度	0.108	0.4565	7	0.756
				外来物种入侵	0.054	无	8	0.432
		水环境指标	0.45	污染物	0.054	无	8	0.432
				富营养	0.081	贫营养	8	0.648
				水质级别	0.135	IV	3	0.405
人为干扰指标	0.4	社会指标	0.4	人口密度	0.064	4.0639	9	0.576
				利用情况	0.096	水源地	7	0.672
		威胁指标	0.6	威胁因子数量	0.084	3.0000	7	0.588
				威胁程度	0.156	轻度	5	0.780

3.3.10 天湖湿地生态状况评估

根据三级指标 13 个指标因子的数值和赋值及权重，天湖湿地生态状况评估分为 5.910 分，生态状况为好(表 5-14)。天湖典型湿地如图 5-17。

图 5-17 天湖典型湿地

表 5-14 天湖湿地生态状况评估表

一级	权重	二级	权重	三级	权重	宁夏因子数值	赋值	计算值
自然指标	0.6	景观指标	0.1	自然湿地率	0.030	1.0000	9	0.270
				湿地密度	0.012	0.1250	7	0.084
				湿地斑块密度	0.018	0.0027	3	0.054
		生物多样性指标	0.45	单位面积物种多度	0.108	0.0335	5	0.540
				植物覆盖度	0.108	0.5330	7	0.756
				外来物种入侵	0.054	无	8	0.432
		水环境指标	0.45	污染物	0.054	无	8	0.432
				富营养	0.081	中营养	5	0.405
				水质级别	0.135	Ⅳ	3	0.405
人为干扰指标	0.4	社会指标	0.4	人口密度	0.064	3.0530	9	0.576
				利用情况	0.096	水源地	7	0.672
		威胁指标	0.6	威胁因子数量	0.084	4.0000	6	0.504
				威胁程度	0.156	轻度	5	0.780

3.3.11 天河湾湿地生态状况评估

根据三级指标 13 个指标因子的数值和赋值及权重，天河湾湿地生态状况评估分为 6.231 分，生态状况为好(表 5-15)。天河湾典型湿地如图 5-18。

图 5-18 天河湾典型湿地

表 5-15 天河湾湿地生态状况评估表

一级	权重	二级	权重	三级	权重	宁夏因子数值	赋值	计算值
自然指标	0.6	景观指标	0.1	自然湿地率	0.030	1.0000	9	0.270
				湿地密度	0.012	0.0556	5	0.060
				湿地斑块密度	0.018	0.0008	1	0.018
		生物多样性指标	0.45	单位面积物种多度	0.108	0.0042	3	0.324
				植物覆盖度	0.108	0.4854	7	0.756
				外来物种入侵	0.054	无	8	0.432
		水环境指标	0.45	污染物	0.054	无	8	0.432
				富营养	0.081	贫营养	8	0.648
				水质级别	0.135	III	5	0.675
人为干扰指标	0.4	社会指标	0.4	人口密度	0.064	3.5919	9	0.576
				利用情况	0.096	水源地	7	0.672
		威胁指标	0.6	威胁因子数量	0.084	3.0000	7	0.588
				威胁程度	0.156	轻度	5	0.780

3.3.12 银川平原湿地生态状况评估

根据三级指标 13 个指标因子的数值和赋值及权重，银川平原湿地生态状况评估分为 6.159 分，生态状况为好(表 5-16)。银川平原典型湿地如图 5-19。

图 5-19 银川平原典型湿地

表 5-16 银川平原湿地生态状况评估表

一级	权重	二级	权重	三级	权重	宁夏因子数值	赋值	计算值
自然指标	0.6	景观指标	0.1	自然湿地率	0.030	1.0000	9	0.270
				湿地密度	0.012	0.0323	3	0.036
				湿地斑块密度	0.018	0.0019	3	0.054
		生物多样性指标	0.45	单位面积物种多度	0.108	0.0049	3	0.324
				植物覆盖度	0.108	0.4359	7	0.756
				外来物种入侵	0.054	无	8	0.432
		水环境指标	0.45	污染物	0.054	无	8	0.432
				富营养	0.081	贫营养	8	0.648
				水质级别	0.135	III	5	0.675
人为干扰指标	0.4	社会指标	0.4	人口密度	0.064	5.7218	9	0.576
				利用情况	0.096	水源地	7	0.672
		威胁指标	0.6	威胁因子数量	0.084	4.0000	6	0.504
				威胁程度	0.156	轻度	5	0.780

3.3.13 鹤泉湖湿地生态状况评估

图 5-20 鹤泉湖典型湿地

根据三级指标 13 个指标因子的数值和赋值及权重，鹤泉湖湿地生态状况评估分为 5.851 分，生态状况为好（表 5-17）。鹤泉湖典型湿地如图 5-20。

表 5-17 鹤泉湖湿地生态状况评估

一级	权重	二级	权重	三级	权重	宁夏因子数值	赋值	计算值
自然指标	0.6	景观指标	0.1	自然湿地率	0.030	0.7990	5	0.150
				湿地密度	0.012	0.0833	5	0.060
				湿地斑块密度	0.018	0.0180	7	0.126
		生物多样性指标	0.45	单位面积物种多度	0.108	0.1244	7	0.756
				植物覆盖度	0.108	0.3800	7	0.756
				外来物种入侵	0.054	无	8	0.432

（续）

一级	权重	二级	权重	三级	权重	宁夏因子数值	赋值	计算值
自然指标	0.6	水环境指标	0.45	污染物	0.054	无	8	0.432
				富营养	0.081	富营养	2	0.162
				水质级别	0.135	IV	3	0.405
人为干扰指标	0.4	社会指标	0.4	人口密度	0.064	38.4933	7	0.448
				利用情况	0.096	水源地	7	0.672
		威胁指标	0.6	威胁因子数量	0.084	2.0000	8	0.672
				威胁程度	0.156	轻度	5	0.780

3.3.14 腾格里荒漠湿地生态状况评估

根据三级指标13个指标因子的数值和赋值及权重，腾格里荒漠湿地生态状况评估分为6.645分，生态状况为好(表5-18)。腾格里荒漠典型湿地如图5-21。

图 **5-21** 腾格里荒漠典型湿地

表 5-18 腾格里荒漠湿地生态状况评估表

一级	权重	二级	权重	三级	权重	宁夏因子数值	赋值	计算值
自然指标	0.6	景观指标	0.1	自然湿地率	0.030	0.9286	7	0.210
				湿地密度	0.012	0.0909	5	0.060
				湿地斑块密度	0.018	0.0034	5	0.090
		生物多样性指标	0.45	单位面积物种多度	0.108	0.0403	5	0.540
				植物覆盖度	0.108	0.5005	7	0.756
				外来物种入侵	0.054	无	8	0.432
		水环境指标	0.45	污染物	0.054	无	8	0.432
				富营养	0.081	贫营养	8	0.648
				水质级别	0.135	II	7	0.945
人为干扰指标	0.4	社会指标	0.4	人口密度	0.064	4.6492	9	0.576
				利用情况	0.096	水源地	7	0.672
		威胁指标	0.6	威胁因子数量	0.084	4.0000	6	0.504
				威胁程度	0.156	轻度	5	0.780

3.3.15 卫宁平原湿地生态状况评估

图 5-22 卫宁平原典型湿地

根据三级指标 13 个指标因子的数值和赋值及权重，卫宁平原湿地生态状况评估分为 5.571 分，生态状况为中(表 5-19)。卫宁平原典型湿地如图 5-22。

表 5-19 卫宁平原湿地生态状况评估表

一级	权重	二级	权重	三级	权重	宁夏因子数值	赋值	计算值
自然指标	0.6	景观指标	0.1	自然湿地率	0.030	0.9866	7	0.210
				湿地密度	0.012	0.0156	1	0.012
				湿地斑块密度	0.018	0.0052	5	0.090
		生物多样性指标	0.45	单位面积物种多度	0.108	0.0058	3	0.324
				植物覆盖度	0.108	0.2717	5	0.540
				外来物种入侵	0.054	无	8	0.432
		水环境指标	0.45	污染物	0.054	有	2	0.108
				富营养	0.081	贫营养	8	0.648
				水质级别	0.135	III	5	0.675
人为干扰指标	0.4	社会指标	0.4	人口密度	0.064	6.6263	9	0.576
				利用情况	0.096	水源地	7	0.672
		威胁指标	0.6	威胁因子数量	0.084	4.0000	6	0.504
				威胁程度	0.156	轻度	5	0.780

3.4 重点湿地生态评估分析与评价

根据以上评估结果，宁夏 15 个重点湿地生态状况如图 5-23。湿地生态状况得分最高的为腾格里荒漠湿地，得分最低的阅海湿地，顺序由高到低依次是腾格里荒漠湿地、黄沙古渡国家湿地公园、哈巴湖国家级自然保护区、西吉党家岔震湖湿地自然保护区、天河湾湿地、银川平原湿地、吴忠黄河湿地、天湖湿地、青铜峡湿地、鹤泉湖湿地、鸣翠湖湿地、卫宁平原湿地、石嘴山星海湖国家湿地公园、沙湖自然保护区、阅海湿地。

按照全国的间断值为 4.718 和 5.648，高于后者为好，低于前者为差，中间值为中的方法，宁夏重点调查湿地生态状况为好的有 11 个，占 73.33%，分别是腾格里荒漠湿地、黄沙古渡国家

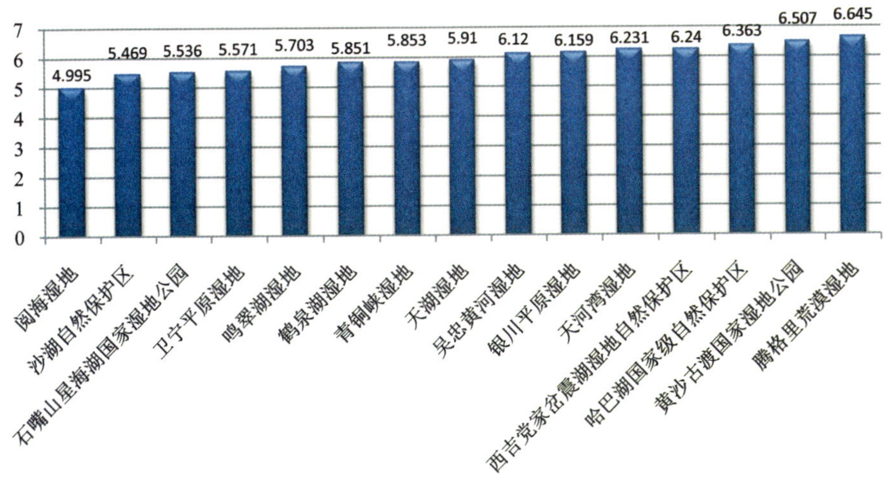

图 **5-23**　宁夏 **15** 个重点湿地生态状况

湿地公园、哈巴湖国家级自然保护区、西吉党家岔震湖湿地自然保护区、天河湾湿地、银川平原湿地、吴忠黄河湿地、天湖湿地、青铜峡湿地、鹤泉湖湿地、鸣翠湖湿地；湿地生态状况为中的有 4 个，占 26.67%，分别为卫宁平原湿地、石嘴山星海湖国家湿地公园、沙湖自然保护区、阅海湿地，区域分布如图 5-24。

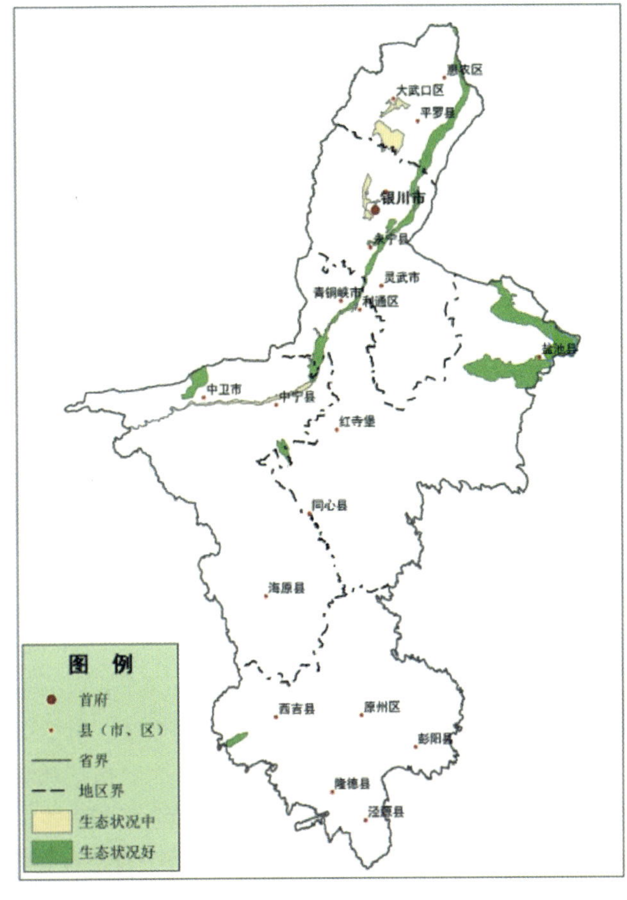

图 **5-24**　宁夏回族自治区重点调查湿地分级图

湿地生态状况为好的重点湿地主要有以下原因：一是补水水质好且有保障。最为典型的为腾格里荒漠湿地，该重点湿地位于腾格里沙漠边缘，补水为综合补给，其中地表水补给主要是黄河水，地下水补给主要是腾格里沙漠地下浸水，且地下浸水和黄河水补给都有保障，水质等级为 II 类，确保腾格里荒漠湿地的生态状况在重点湿地中是最好的。二是湿地保护措施有效。11 个湿地生态状况为好的重点湿地都采取了不同层次，方式各异、措施不同、效果明显的湿地保护措施。哈巴湖建立了宁夏唯一一个国家级湿地自然保护区，西吉震湖和青铜峡湿地处于区级湿地自然保护区内，黄沙古渡、吴忠黄河、鸣翠湖、天湖、鹤泉湖为国家湿地公园，腾格里荒漠湿地为 2013

年宁夏政府批建的自治区级湿地公园。这些管护机构的建立为湿地水源保障、生物多样性孕育、植被恢复等保护措施顺利实施奠定了基础，更为湿地生态状况持续改善提供了条件。三是人为干扰少。如腾格里荒漠湿地、哈巴湖国家级自然保护区和西吉震湖等几个湿地生态状况最好的重点湿地都处于距离中心城市较远的地域，人为干扰相对较小，旅游给环境带来的压力也小，同时因为减少了对生物的影响，鸟类等资源相对丰富，植被覆盖度较其他湿地高。

湿地生态状况为中的重点湿地主要有以下原因：一是卫宁平原湿地位于中卫沙坡头区和中宁县黄河两岸，历史上人为活动较为频繁，主要是大量耕作，且人口相对集中，造成生物多样性不高；农业退水和面源污染长期存在，湿地破碎化相对严重，导致了湿地生态状况相对不高，处于中的水平。二是阅海湿地。阅海本是银川国家湿地公园的一个园区，2006 年建立了国家湿地公园，湿地保护措施有力。但是阅海湿地处于银川市金凤区，处于城市中心区域，生活污水和农田退水以及养殖业压力造成阅海湿地受到污染威胁，水质级别为 IV，水质富营养化，人口压力大，旅游压力逐步显现。宁夏党委、政府高度重视阅海湿地的生态状况，经艾伊河来水确保了阅海的水源补给，采取措施严管污水排放，沿艾伊河建立污水处理场，建立管护队伍保护管理阅海国家湿地公园。加强对土地的管护力度，禁止与湿地保护相违背的项目建设。在政府的强力保护下，阅海湿地生态状况维持在中的水平。三是沙湖湿地，沙湖湿地为自治区级湿地保护区，但是沙湖为全国十大王牌景点，国家 5A 级旅游景区，每年接待游客 100 万人次，旅游压力非常大，游客对鸟类等的影响也逐步上升，生物多样性下降，导致生态状况等级为中。四是石嘴山星海湖国家湿地公园，该湿地公园为 2008 年建立，最早为退化湿地，是石嘴山市大武口电厂的排渣场，后经恢复为星海湖湿地。位于大武口区南边缘，紧邻市区。城市生活污水和周边农田退水等造成污染，致使湿地生态状况为中等水平。

第二节 湿地受威胁状况

1 湿地受威胁基本状况

全国第二次湿地资源调查(宁夏区)的 15 个重点湿地均不同程度的受到不同威胁因子的影响。石嘴山星海湖国家湿地公园受威胁因子有 3 个，包括基建和城市化、污染、盐碱化，受威胁状况等级为轻度；天河湾湿地所受威胁因子有 3 个，包括围垦、泥沙淤积、盐碱化，受威胁状况等级为轻度；银川平原湿地所受威胁因子有 4 个，包括基建和城市化、围垦、泥沙淤积、盐碱化，受威胁状况等级为轻度；黄沙古渡国家湿地公园所受威胁因子有 3 个，包括泥沙淤积、沙化、旅游产业的影响，受威胁状况等级为轻度；沙湖自然保护区所受威胁因子有 3 个，包括基建和城市化、盐碱化、旅游产业的影响，受威胁状况等级为轻度；阅海湿地所受威胁因子有 4 个，包括基建和城市化、污染、水利工程和引排水的负面影响、旅游产业的影响，受威胁状况等级为轻度；鸣翠湖湿地所受威胁因子有 2 个，包括盐碱化、旅游产业的影响，受威胁状况等级为轻度；鹤泉湖湿地所受威胁因子有 2 个，包括基建和城市化、旅游产业的影响，受威胁状况等级为轻度；吴忠黄河湿地所受威胁因子有 2 个，包括基建和城市化、泥沙淤积，受威胁状况为轻度；哈巴湖国家级自然保护区所受威胁因子有 2 个，包括盐碱化、沙化，受威胁状况为轻度；青铜峡湿地所受威胁因子主要有 3 个，包括泥沙淤积、围垦、盐碱化，受威胁状况等级轻度；腾格里荒漠湿地所受威胁因子有 4 个，包括基建和城市化、盐碱化、污染、沙化，受威胁状况等级为轻度；卫宁平原湿地所受威胁因子有 4 个，包括基建和城市化、围垦、泥沙淤积、污染，受威胁状况等级为轻度；天湖湿地所受威胁因子有 4 个，包括围垦、泥沙淤积、盐碱化、旅游业影响，受威胁状况等级为轻度；西吉党家岔震湖湿地、哈巴湖国家级自然保护区所受威胁因子有 2 个，包括人为活动和放牧、盐碱化，受威胁状况等级为轻度。

2 重点湿地受威胁分析

2.1 重点湿地受威胁因子分析

调查的 15 个重点湿地中，受威胁种类共计 9 种，分别是基建和城市化、污染、盐碱化、沙化、旅游业影响、围垦、泥沙淤积、人为活动和放牧、水利工程和引排水的负面影响。这 9 种威胁因子中，盐碱化为最普遍的威胁因子，出现频率最高，为 10 次；基建和城市化对湿地的影响次之，出现频率次之，为 8 次；泥沙淤积出现频率为 7 次；旅游业影响的出现频率为 6 次；围垦的出现频率为 5 次；污染的出现频率为 4 次；沙化的出现频率为 3 次，人为活动和放牧和水利工程和引排水的负面影响出现频率均为 1 次。如重点湿地受威胁因子情况统计(表 5-20)和重点湿地受威胁因子频次(图 5-25)。

表 5-20 重点湿地受威胁因子情况统计表

受威胁湿地名称	基建和城市化	污染	盐碱化	围垦	泥沙淤积	沙化	旅游业的影响	水利和引排水的负面影响	人为活动和放牧
石嘴山星海湖国家湿地公园	○	○	○						
天河湾湿地			○	○	○				
银川平原湿地	○		○	○	○				
黄沙古渡国家湿地公园					○	○	○		
沙湖自然保护区	○		○				○		
阅海湿地	○	○					○	○	
鸣翠湖湿地			○				○		
鹤泉湖湿地	○						○		
吴忠黄河湿地	○				○				
哈巴湖国家级自然保护区			○			○			
青铜峡湿地			○	○	○				
腾格里荒漠湿地	○	○	○			○			
卫宁平原湿地	○	○		○	○				
天湖湿地			○	○	○		○		
西吉党家岔震湖湿地自然保护区			○						○

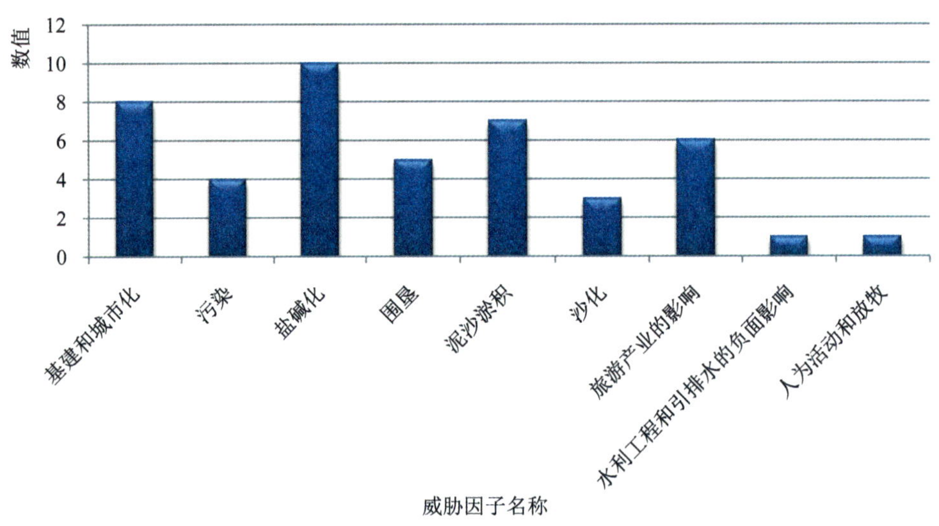

图 **5-25**　重点湿地受威胁因子频次

2.2　重点湿地受威胁因子和受威胁程度分析

2.2.1　土壤盐碱化

近年来，随着生产规模的扩大和对水资源需求量的增大，宁夏平原多数湿地的水均衡及水盐关系已发生了明显的变化。一般来讲，封闭的地形，有灌无排的水文条件，盐化物质来源丰富，地下水的蒸发是土壤盐碱化的主要原因。宁夏受盐碱化威胁的重点调查湿地基本上都是内陆湖泊和季节性沼泽。补水来源有保障，但是排水不畅，有些管护单位片面认为水来之不易，不能排出。这种做法导致了湖泊湿地水循环紊乱、水盐平衡关系趋于恶化，湿地地下水位上升，盐分积累。同时，农业的面源污染影响进一步加深，大量施用化肥导致表层含盐量提高，N、P 都含有大量的酸盐，过量施用化肥容易造成土壤溶液浓度过高，加重盐渍化的板结。尤其是 P 影响，宁夏平原每年施入土壤中的磷肥只有 15% ~20% 被当季作物吸收利用，其余 80% 以上被土壤固定，形成大量磷酸盐沉积，破坏了土壤团粒结构，造成土壤板结。湿地生态用水大量为农田退水，缺乏科学的施肥技术和大量使用低效肥料导致了退水中 N、P 大量残留，退排到湿地中，造成了湿地盐分的二次积累和周边土壤的次生盐碱化。

重点湿地周边土壤盐碱化是个系统课题，“水和盐”动态平衡点，是宁夏平原科学防治盐渍化的重要基础。当前，急需打破以往单纯依靠按流域来进行水资源评价的模式，要解决这一问题，首先要改变意识，建立系统的排水网络，确保水能进能出。其次利用工程措施，引导湿地补水通过湿地生物尤其是湿地植物建立自净功能，有效降解污染，降低盐碱浓度。第三，要正确引导周边群众科学施肥、施用高效环保肥料；四是大力提倡节水灌溉，高效用水。

2.2.2　基建和城市化

据《宁夏统计年鉴》，2009 ~2012 年，农业人口由 3924177 人增加至 2012 年的 4029410 人，增加 105233 人，同时期的城镇人口有 2882093 人增加至 3279637 人，增加 397544 人，增加人数是农业人口增加数的近 4 倍。2009 年宁夏的城镇化率为 46.1%，2010 年的城镇化率为 48.0%，2011 年

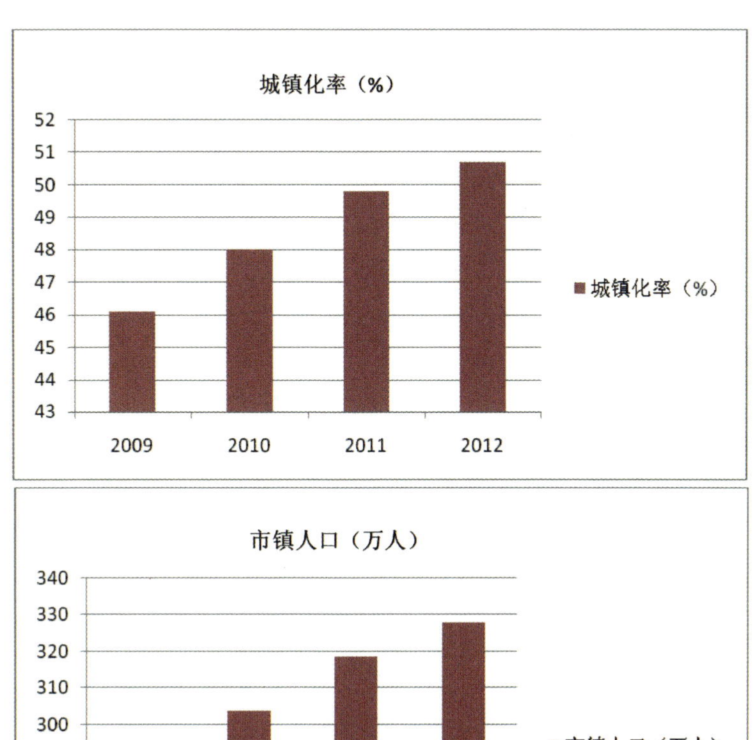

图 **5-26**　近年宁夏城镇化率和市镇人口

的城镇化率为49. 8%，2012 年的城镇化率为50. 7%，近4 年年均增长近10%(图5-26)。城镇化率呈现加速上升态势。宁夏15 个重点调查湿地中，有9 个重点调查湿地处于城市中心或者周边，石嘴山星海湖国家湿地公园、银川平原湿地、阅海湿地、鸣翠湖湿地、鹤泉湖湿地、吴忠黄河湿地、哈巴湖国家级自然保护区、腾格里荒漠湿地、卫宁平原湿地。因哈巴湖湿地虽然处于盐池县城周边，但是已经建立国家级自然保护区，采取了严格的保护措施，避免了城镇化和基建对其的不利影响。近期宁夏党委、政府提出了宁夏沿黄城市带战略，是以黄河中上游宁夏引黄灌区为依托，以地缘相近、交通便利、经济关联度较高的首府银川为中心，以石嘴山、吴忠、中卫3 个地级市和若干个建制镇为基础的大中小城市相结合的沿黄河呈带状分布城市集合体。具体包括银川市兴庆区、金凤区、西夏区及灵武市、贺兰县和永宁县，石嘴山市大武口、惠农区和平罗县，吴忠市利通区和青铜峡市，中卫市的沙坡头区和中宁县及其所属的25 个乡，61 个镇。区域国土面积2. 87 万平方公里，总人口374 万人，其中城镇人口262 万人，沿黄城市以43%的国土面积集中了宁夏64%的人口、80%的城镇和82%的城镇人口，创造了宁夏90%以上的GDP 和财政收入，是宁夏经济发展的战略高地和主要增长点。城镇化是文明提升的标志，也是国家经济社会发展的必然趋势。追溯历史，湿地是文明的摇篮，是人类最先生产和生活的地方，城镇化进程与湿地生态保护一直是一对客观存在的矛盾。从新中国成立初期到20世纪末，几次宁夏的城镇化高潮已经将尤其是银川平原的七十二连湖景观破坏的荡然无存。基建和城镇化对宁夏湿地的影响主要表现在侵占湿地作为基本建设用地，抽取地下水影响湿地水生态、基建等产生的污染破坏湿地环境、人口剧增给湿地资源带来的种种压力等，在宁夏表现最为突出的是阅海湿地、鸣翠湖湿地、星海湖湿地、鹤泉湖湿地等。

随着科学发展观、生态建设、美丽中国的提出，重视生态建设，保护湿地资源的理念逐步深入人心。2008年11月，《宁夏湿地保护条例》颁布实施，随着法规健全、机构的建立，生态红线的划定，基建和城镇化与湿地生态保护这对矛盾将逐步发生转化，趋向和谐。

2.2.3 旅游业影响

根据《宁夏旅游业发展"十二五"规划》，"十二五"期间，宁夏将构建以银川为中心，石嘴山、吴忠、固原、中卫为辅助的"一个轴心旅游带，三大旅游板块，五个城市乡村旅游圈"，即以402公里"黄河金岸"为轴心的沿黄城市旅游带，"塞上江南新天府、贺兰山历史文化、六盘山红色生态"三大旅游板块和以五个地级市为中心、半径50公里左右的城市和乡村旅游圈，把宁夏建成海内外旅游者向往的、具有强大市场竞争力的中国西部特色旅游目的地和面向穆斯林的国际旅游目的地。到2015年宁夏年接待国内外游客1600万人次，旅游总收入以每年20%的速度递增，到2015年达到168亿元，旅游业年总收入占宁夏GDP的5%。旅游直接从业人员增加2万人，旅游业占第三产业收入比重达到12%，成为第三产业的龙头。"十二五"期间，宁夏旅游业固定资产投资将超过500亿元，主要用于改善景区基础设施，建设旅游专线公路和旅游宣传等方面。宁夏景观多样，唯有湿地景观是浓墨重彩，在内陆干旱区犹如神来之笔。"人目之如西湖，居民喜为乐土"，宁夏素有"塞上江南"的美誉，美丽的湿地景观，特有的回乡风情，突出反映了宁夏回族自治区的特色。清代乾隆年间，银川城附近就有朔方八景之说，其中河带晴光、长渠流润、西桥柳色、连湖渔歌四景都与湿地有关。进入新世纪，宁夏两个国家5A级景区，沙湖和沙坡头旅游景区也都与湿地景观密切关联。我国北方第一个，全国第三个国家湿地公园——银川国家湿地公园更突出表现了塞上江南的秀丽景色。宁夏的湿地景观是黄河上游一块弥足珍贵的旅游资源，更是彰显回乡民族风情、体现民族和谐的文化资源，是大自然馈赠给我们的珍贵礼品。目前重点调查湿地基本上都有不同程度的旅游产业。全国第二次湿地资源调查(宁夏区)显示旅游业对重点调查湿地产生影响的主要有黄沙古渡国家湿地公园、沙湖自然保护区、阅海湿地、鸣翠湖湿地、鹤泉湖湿地、天湖湿地6个，这些影响主要表现：①超过环境容纳量，超载旅游，但是阅海、鹤泉湖、天湖的实际游客数量远低于日环境容纳量和年环境容纳量，还没有发挥湿地在旅游业上的效益。②开展与湿地生态保护不相符的旅行项目，例如天湖湿地其中的狩猎场项目，鹤泉湖的摩托艇项目等。③超规划界限开展旅游，比如有些重点调查湿地为国家湿地公园或者自然保护区，其旅游活动超越了规划区域，严重干扰了野生生物栖息环境，破坏了原始景观，造成了湿地景观异质性和湿地退化加速。

2.2.4 围 垦

围垦湿地主要有以下原因，一是湿地没有纳入《中华人民共和国土地法》土地类型，分别以荒滩荒地和宜林地等地类形式进行统计，因此围垦湿地，改变其用途，成为农业用地或者基本建设用地，或者是基本建设用地占用耕地的占补平衡的替身，这些做法不违反法律。二是湿地生态系统作为最好的生态系统，从水生植物的生长量来看，其生长量也要大于陆生植物，除了四水产业外，野禽驯养繁殖、水生植物的引种种植都具有强大的发展潜力，利用起来周期短，见效快，往往倾向于被圈占和围垦。三是湿地区域已经成为各类生产要素集聚的区域。首先，湿地区域是生产力高度发达的区域。现代工业、农业和旅游业、服务业都依水而建，享湿地之利，择湿地之秀；其次，湿地区域的生产关系也高度复杂，有些湿地是工业的给水地，同时也是旅游区，大部分还被划做区域的交界线，受到多个部门和单位的交叉管制；最后，从利用生产工具和科技手段上讲，人们对湿地的改造和利用的方式、工具、目的各不相同，导致了湿地区域社会关系和经济关系的多样性和复杂性。一旦圈占和围垦获得的社会资源十分丰富，因此，湿地的圈占和围垦更是利益驱使所致。经初步统计，宁夏围垦的湿地面积为12927公顷(表5-21)。

表5-21 宁夏围垦湿地现状统计表

序号	湿地名称	湿地类型	总面积（公顷）	围垦面积（公顷）	所属辖区	管理现状
1	银川国家湿地公园阅海园区	湖泊	1932	966	金凤区	银川市阅海湿地公园管理站
2	银川国家湿地公园鸣翠湖园	湖泊、沼泽	667	310	兴庆区	银川市鸣翠湖湿地公园
3	宁夏黄沙古渡湿地湿地公园	沼泽	2131	100	兴庆区	银川市黄沙古渡湿地公园
4	鹤泉湖国家湿地公园	湖泊	226	120	永宁县	鹤泉湖湿地公园管理站
5	简泉湖国家湿地公园	湖泊	900	179	简泉农场	简泉农场
6	镇朔湖国家湿地公园	湖泊	1600	967	前进农场	前进农场
7	吴忠黄河国家湿地公园	河流	5800	300	利通区	吴忠市湿地保护管理中心
8	青铜峡鸟岛国家湿地公园	河流	19500	8533	青铜峡市	青铜峡库区管理局
9	天湖国家湿地公园	河流	1790	197	长山头农场	长山头农场
10	太阳山国家湿地公园	湖泊、沼泽	2447	100	太阳山开发区	太阳山林业局
11	哈巴湖	沼泽	10720	522	盐池县	哈巴湖国家级自然保护区
12	沙湖	湖泊	8602	633	前进农场	沙湖自然保护区管理处
合计			60615	12927		

围垦的湿地已经既成事实，多数成为水稻田和鱼池，且年代已久不对本区域内的重点调查湿地构成威胁。全国第二次湿地资源调查(宁夏区)受围垦威胁的重点湿地有5个，分别是天河湾湿地、银川平原湿地、青铜峡湿地、卫宁平原湿地和天湖湿地，目前这些湿地正在或者存在潜在的围垦威胁。

湿地围垦是一种掠夺性的侵占湿地的行为，宁夏党委、政府高度重视湿地生态系统的保护工作，2007年青铜峡库区自然保护区开展退耕还湿就是典型案例。2006年10月27日，宁夏政府第83次常务会议决定，将位于青铜峡库区保护区范围内的中宁县白马乡新田、跃进两村划归青铜峡市，保护区管理工作交由青铜峡市负责，保护区内已开发耕种的农田要全部退耕，尽快恢复自然状态。青铜峡市委、政府于2007年1月成立了由公、检、法、国土等部门组成的土地调查核实领导小组，对耕种大户开垦、转包、获取收益情况进行调查核实。2007年3月31日，青铜峡市委专题会议决定“库区内所有滩地均属国有土地，必须无条件全部收回，一律不予补偿，实施湿地保护和统一规划利用”。其间，白马乡三道湖村、彰恩村、跃进村部分开垦滩地的村民不愿无偿交回土地，为此，宁夏人民政府于2007年4月4日召开专题会议，决定“对划定保护区范围内的国有土地必须无条件收回，任何单位和个人无权发包”，并协调中宁县、渠口农场将农户开垦的滩地交还青铜峡市统一管理，土地回收工作才得以顺利完成。目前，退耕还湿8533公顷，已经开始了湿地保护工作。2008年《宁夏湿地保护条例》颁布实施时，其中明确了湿地占补平衡和退耕还湿的一些具体内容。

解决围垦威胁，首先要建立健全的制度体系，将湿地确立为一类受法律保护的地类；其次是提高各级领导和群众的湿地保护意识，认识到当前利益和长远利益的关系；再次是退耕还湿的措施要合规合理，解决好农民的受损补偿问题。

2.2.5 受威胁程度分析

全国第二次湿地资源调查(宁夏区)的15个重点调查湿地其受威胁状况均为轻度。这与近些年宁夏党委、政府和各级林业主管部门高度重视湿地生态保护管理工作密不可分。湿地生态保护是一项公益性事业，总的来讲需要党委决策部署，政府推动落实，各级林业部门践行实干；同时，建立法律保障体系，创新行政管理机制，拓宽湿地保护投入渠道，形成全社会、全民参与湿地保护的氛围，才能将这项事业推向进步。宁夏在这些方面已做了一些工作。

一是党委、政府重视到位。多年的湿地保护管理实践，使我们深刻体会到，地方各级党委、政府的重视是根本。湿地恢复需要协调各部门和各基层单位的关系，没有政府的支持寸步难行，宁夏湿地保护之所以取得阶段性成果，是地方各级党委、政府高度重视、强力推动的结果。宁夏党委、政府把湿地保护摆到生态安全和经济社会可持续发展的大局中谋划，提升了湿地保护工作的地位，创造了湿地保护工作的更多机遇。自治区党委书记、政府主席及分管领导经常深入基层、调查研究，亲自部署湖泊扩整、水系连通等湿地恢复工作。这些年，恢复的星海湖、艾伊河、阅海、腾格里湖、吴忠滨河、豫海湿地都是依靠政府推动才得以顺利完成的工程。因此，要始终紧紧围绕宁夏党委、政府的工作思路，将湿地保护主动融入现行的体制机制、政策中，体现于国民经济和社会发展的实践，才能开创湿地保护管理良好的政治、经济和社会环境。

二是管理措施到位。15个重点调查湿地中有国家级自然保护区1个，为宁夏哈巴湖国家级自然保护区；有区级自然保护区3个，为沙湖自然保护区、西吉党家岔震湖湿地自然保护区、青铜峡库区自然保护区；有国家湿地公园7个，为石嘴山星海湖国家湿地公园、黄沙古渡国家湿地公园、阅海湿地、鸣翠湖湿地、鹤泉湖湿地、吴忠黄河湿地、天河湾湿地；有自治区级湿地公园2个，即腾格里荒漠湿地、银川平原湿地。目前，15个重点调查湿地区域内有14个建立了湿地管护机构，有专人保护管理(表5-22)。

表5-22 重点调查湿地管护情况统计表

序号	重点湿地名称	保护机构名称	保护级别
1	哈巴湖国家级自然保护区	自然保护区	国家级
2	青铜峡湿地	自然保护区	区级
3	西吉党家岔震湖湿地自然保护区	自然保护区	区级
4	沙湖自然保护区	自然保护区	区级

（续）

序号	重点湿地名称	保护机构名称	保护级别
5	阅海湿地	湿地公园	国家级
6	鸣翠湖湿地	湿地公园	国家级
7	石嘴山星海湖国家湿地公园	湿地公园	国家级
8	黄沙古渡国家湿地公园	湿地公园	国家级
9	吴忠黄河湿地	湿地公园	国家级
10	鹤泉湖湿地	湿地公园	国家级
11	天湖湿地	湿地公园	国家级
12	腾格里荒漠湿地	湿地公园	区级
13	银川平原湿地	湿地公园	区级
14	天河湾湿地	湿地公园	国家级
15	卫宁平原湿地		

三是工程措施到位。"十一五"期间，宁夏实施了星海湖、平罗天河湾、银川鸣翠湖和阅海、吴忠滨河以及中卫滨河 6 个湿地保护恢复项目，总投资近 1.1 亿元，项目建设收到了良好的生态、社会和经济效益。项目的间接带动效应更是巨大的。从项目投资角度来讲，这是典型的乘数原理和放大效应。它拉动了黄河沿岸湿地的整体保护工作，吸引地方及部门投资近 10 亿元，保护了近十倍项目区面积的湿地资源。从宁夏黄河动脉系统到城市静脉系统艾伊河的贯通，从西边的腾格里湖湿地公园到东边的哈巴湖国家级自然保护区，从清水河、葫芦河各黄河支流流域，宁夏各个县市区都有湿地保护和恢复的大举措，每年都有湿地恢复的新成绩。这也是在全国湿地面积减少的大环境下，宁夏湿地面积不减反增的重要原因。湿地项目起到了抛砖引玉，四两拨千斤的作用。

第三节
湿地资源变化及其原因分析

1　两次湿地资源调查结果对比

1.1　第一次湿地资源调查成果简述

1995 年，根据原林业部野生动植物保护司《关于加强湿地资源保护和开展湿地资源调查的通知》(林护字[1994]82 号)文件，宁夏林业厅成立了宁夏湿地资源调查领导小组，组成了由原宁夏林业勘察设计院为主的宁夏湿地资源调查队伍，历时 5 年，几经修改，2001 年第一次宁夏湿地资源调查圆满结束。

据第一次宁夏湿地资源调查，宁夏湿地共计 25.57 万公顷，共分为 2 类 8 种类型。基本区划为河流湿地和湖泊湿地；其中河流湿地分为永久性河流湿地、季节性和间歇性河流湿地、泛洪平原湿地3个类型；湖泊湿地分为永久性淡水湖、季节性淡水湖、永久性咸水湖、季节性咸水湖和水库5个类型(表5-23)。

表5-23 第一次湿地资源调查面积类型统计表

湿地类	湿地型	面积(万公顷)
河流湿地	永久性河流	3.97
	季节性河流	1.03
	泛洪平原湿地	5.41
湖泊湿地	永久性淡水湖	0.43
	季节性淡水湖	13.82
	永久性咸水湖	0.07
	季节性咸水湖	0.52
	水库	0.32
合 计		25.57

据第一次宁夏湿地资源调查，湿地维管植物有52科119属202种，浮游植物8门29科67属。湿地植被共计26个类型。湿地野生动物共计20目37科180种，其中鱼类3目5科37种，两栖类3目4科7种，爬行类2目8科21种，鸟类9目17科101种，兽类3目6科16种。有国家Ⅰ级保护动物4种，国家Ⅱ级保护动物15种，自治区级保护动物28种。

据第一次宁夏湿地资源调查，重点调查湿地2个，为沙湖自然保护区和青铜峡库区自然保护区。

1.2 几点需要说明的问题

1.2.1 面积可比口径问题

第一次湿地资源调查包含了水稻田，将其面积统计为季节性淡水湖。第二次湿地资源调查中，虽然水稻田为一种湿地类型，但是按照《第二次全国湿地资源调查技术细则》的要求，不对水稻田的面积进行调查，不将水稻田的面积统计进调查结果，只是从农业或相关部门索取数据作为参考。因此，我们只是从农业部门得到宁夏水稻面积为6.67万公顷，按照宁夏水稻面积不增加的政策导向，反推第一次湿地资源调查中水稻田的面积为6.67万公顷。因此，为了统一口径，宁夏第一次湿地资源调查的湿地总面积应该减去水稻田的面积，湿地总面积为18.90万公顷。

水库的面积在第一次湿地资源调查时并入了湖泊湿地类型，第二次湿地资源调查将其划入人工湿地，为了统一比较口径，将第一次湿地资源调查中的湖泊面积减去水库的面积。第一次湿地资源调查的湖泊湿地面积为81627公顷。

沼泽湿地的面积在第一次湿地资源调查中没有体现，按照第一次湿地资源调查的划分标准参照第二次湿地资源调查的划分标准，不难发现，沼泽湿地基本上全部划入湖泊湿地类型。限于当时100公顷起调的标准，目前，无法将沼泽湿地从湖泊湿地中剔出，只能将第二次湿地资源调查的湖泊湿地和沼泽湿地面积总加，与第一次湿地资源调查的湖泊湿地进行对比，方能统一对比口径。

1.2.2　关于调查中湿地类型划分的问题

第一次湿地资源调查将宁夏湿地划分为 2 大类 8 种类型，第二次湿地资源调查将宁夏湿地类型划分为 4 大类 14 种类型(表 5-24)。

表 5-24　两次湿地资源调查类型对比表

湿地类	湿地型	第一次湿地资源调查类型	第二次湿地资源调查类型
河流湿地	永久性河流	▲	▲
	季节性或间歇性河流	▲	▲
	洪泛平原湿地	▲	▲
湖泊湿地	永久性淡水湖	▲	▲
	永久性咸水湖	▲	▲
	季节性淡水湖	▲(包括水稻田 6.67 万公顷)	▲
	季节性咸水湖	▲	▲
沼泽湿地	草本沼泽		▲
	灌丛沼泽		▲
	内陆盐沼		▲
	季节性咸水沼泽		▲
人工湿地	库塘	▲(划入湖泊湿地类型)	▲
	运河/输水河		▲
	水产养殖场		▲

注：▲为开展了该湿地类型的湿地资源调查统计。

与第二次湿地资源调查划分的宁夏湿地类型相比，河流湿地的类型没有变化，湖泊湿地的类型发生了明显变化，首先是水库全部划入湖泊湿地，其二是水稻田划入了湖泊湿地的季节性淡水湖湿地类型，其三是沼泽湿地没有单独划分，也归入了湖泊湿地类型。

1.2.3　关于两次湿地资源调查中生物多样性调查的问题

与第二次湿地资源调查相比，第一次湿地资源调查对生物多样性的调查尤其是动物调查的方法和种类没有具体限定，导致湿地动物和非湿地动物一起出现在了调查名录中。根据第二次湿地资源调查对湿地动物尤其是鸟类名录的详细界定，对第一次湿地资源调查的动物名录和种类进行了可比统一口径筛选工作，湿地植物没有发生变化。湿地动物中鱼类第一次湿地资源调查为 35 种(注，以《宁夏湿地动物》中的数量为准)，其中西吉彩鲫没有定种，应从名录种删除，可比口径为 34 种。两栖类没有变化。湿地爬行类中将第一次湿地资源调查中的 19 种剔出，由 21 种变为可比口径下的 2 种。湿地鸟类中将第一次湿地资源调查数量为 104 种(注以名录中的数量为准)，其中这 104 种中有 17 种雀形目鸟类，这 17 种雀形目鸟类中有 12 种目前宁夏湿地还有分布，只是没有纳入名录中，为了统一口径将这 12 种在两次湿地资源调查生物多样性对比中剔出，同时大鸨、小鸨和董鸡 3 种两次湿地资源调查生物多样性对比中剔出，这样可比口径下鸟类种数为由 104 种变为 89 种。湿地兽类中将第一次湿地资源调查的 16 种剔出 13 种，可比口径下为 3 种。与第二次湿地资源调查进行可比口径界定后，第一次湿地资源调查可比口径下的生物多样性概况(表5-25)。

表5-25　两次湿地资源调查生物多样性情况统计表

生物多样性名称	种　数	
湿地植物种数	202种	
湿地植被	12个植被群系	
湿地动物	鱼　类	34种
	两栖类	7种
	爬行类	2种
	鸟　类	89种
	兽　类	3种

1.3　两次湿地资源调查结果对比分析

1.3.1　可比口径湿地类面积对比分析

按两次湿地资源调查湿地类湿地面积进行对比，第一次湿地资源调查河流湿地面积减少了6271.11公顷，减少比例为6.02%；湖泊湿地面积减少了10059.02公顷，减少了12.32%；人工湿地增加了34458.52公顷，增加了10倍多。湿地总面积增加了18128.39公顷，10年间增加了9.59%(表5-26)。

表5-26　按湿地类可比口径下两次湿地资源调查面积对比表(公顷)

湿地类	第一次湿地资源调查面积	第二次湿地资源调查面积	增减面积	增减比例(%)
河流湿地	104176	97904.89	-6271.11	-6.02
湖泊湿地	816279(含沼泽湿地)	71567.98(含沼泽湿地)	-10059.02	-12.32
人工湿地	3240	37698.52	34458.52	1063.53
合　计	189043	207171.39	18128.39	9.59

通过对比，宁夏湿地总面积相对于十年前增加了18128.39公顷，年均增加0.96%，年均增加1738.43公顷(26076.5亩)，主要是人工湿地增加所致。河流和湖泊两类天然湿地面积都在减少，尤其是湖泊湿地减少12.32%，年均减少1.23%，年均减少881.94公顷(13229.1亩)，河流湿地年均减少0.60%，年均减少589.36公顷，两项合计，年均天然湿地损失量为1471.30公顷，这个数字还是很惊人的。

根据以上数据，天然湿地不断萎缩表征着宁夏湿地资源处于持续退化的进程中，人工湿地面积增加表征着湿地利用进程不断加快。

天然湿地不断萎缩主要有自然因素和人为因素，自然因素主要是：一是气候异常、气温升高、蒸发量加大，造成天然湿地水位下降；二是黄河来水逐年减少，湿地补水量减少。人为因素主要是：一是基建和城市化进程加快，抽取地下水资源量加大，湿地水量减少；二是围垦湿地的现象时有发生；三是生产生活蓄水量不断加大，争抢湿地生态用水的现象十分明显；四是超限利用湿地；五是湿地面临的农业和工业废物污染加剧；六是湿地破碎化严重；七是湿地排水不畅，造成了次级盐碱化和污染集聚。

湿地利用进程加快主要是由于人为因素造成的。一是湿地养殖业和湿地种植业的迅速发展，主要表现在养鱼和水禽养殖，如宁夏贺兰县、平罗县其水产养殖规模是西北最大的；二是湿地的景观效益带动，随着城市化的发展，银川及各个县城周边均建立了不同景观的水域以增加当地的景观价值和城市品位；三是保障用水和行洪安全，主要表现在贺兰山东麓建立的如西夏水库、开挖西夏渠等工程；四是房地产市场的影响，主要是湿地周边的房价均比其他地段的房价要高，驱使地产商和政府部门共同开挖水域、利用湿地。

1.3.2　可比口径下两次湿地资源调查面积对比分析

按两次湿地资源调查湿地类湿地面积进行对比，第一次湿地资源调查永久性河流湿地面积减少 7911.75 公顷，季节性或间歇性河流湿地面积增加了 6681.77 公顷，洪泛平原湿地减少了 5041.13 公顷，永久性淡水湖增加了 15875.04 公顷，永久性咸水湖增加了 367.40 公顷，季节性淡水湖减少了 70017.25 公顷，季节性咸水湖增加了 5647.95 公顷，沼泽湿地增加了 4 个类型增加面积为 38067.84 公顷，人工湿地增加 34458.52 公顷(表 5-27)。

表 5-27　按湿地型可比口径下两次湿地资源调查面积对比表(公顷)

湿地类	湿地型	第一次面积	第二次面积	增减面积	增减比例(%)
河流湿地	永久性河流	39700	31788.25	-7911.75	-19.93
	季节性或间歇性河流	10336	17017.77	6681.77	64.65
	洪泛平原湿地	54140	49098.87	-5041.13	-9.31
湖泊湿地	永久性淡水湖	4247	20122.04	15875.04	373.79
	永久性咸水湖	680	1047.40	367.40	54.03
	季节性淡水湖	71540	1522.75	-70017.25	-97.87
	季节性咸水湖	5160	10807.95	5647.95	109.46
沼泽湿地	草本沼泽		9183.20	9183.20	
	灌丛沼泽		1777.60	1777.60	
	内陆盐沼		7630.96	7630.96	
	季节性咸水沼泽		19476.08	19476.08	
人工湿地	库塘	3240	12526.28	9286.28	286.61
	运河/输水河		9720.76	9720.76	
	水产养殖场		15451.48	15451.48	
合　计		189043	207171.39	18128.39	9.59

永久性河流湿地和洪泛平原湿地面积减少主要是由于黄河及其支流来水减少和河道摆动等原因造成的。季节性或间歇性河流湿地面积增加主要是由于黄河支流及原属永久性河流由于来水减少转变为季节性和间歇性河流湿地。永久性咸水湖和季节性咸水湖面积增加主要是由淡水湖泊湿地转化而来。季节性淡水湖减少主要是统计口径不同造成的，同时也有季节性淡水湖湖泊退化等原因。沼泽湿地全国第二次湿地资源调查(宁夏区)中面积大增也是由于季节性淡水湖退化为沼泽

湿地及部分河流湿地退化为沼泽湿地造成。永久性淡水湖增加主要是由于近十年来恢复保护湿地的力度不断增大，石嘴山市星海湖恢复湿地面积4000多公顷，中卫市恢复腾格里湖湿地面积1000多公顷，同心县恢复豫海湿地面积600多公顷，银川市恢复了东南水系，艾伊河水系、阅海湿地等恢复湿地面积3000多公顷，这些举措使永久性淡水湖湿地面积增加。

通过湿地型面积的对比，不难发现永久性河流和洪泛平原湿地减少、季节性或间歇性河流湿地面积增加、沼泽湿地增加等表现为湿地的退化特征，这与湿地类面积对比得到的结论是一致的。同时，永久性淡水湖湿地面积增加表明湿地生态状况向良性方向发展。从湿地型面积的对比中，我们认为宁夏湿地退化加速的趋势得到了初步遏制。

1.3.3 生物多样性对比

根据同口径生物多样性对比，第二次调查的植物种类增加了20种，植被群系数量增加了88个。第一次湿地资源调查湿地动物总数138种，第二次湿地资源调查动物总数为135种，减少了3种，其中，鱼类减少3种，两栖类减少4种，鸟类增加7种(表5-28)。

表5-28 同口径下两次湿地资源调查生物多样性对比表

		第一次湿地资源调查(可比口径)	第二次湿地资源调查
湿地植物	湿地植物种数	202种	222种
	湿地植被群系数	12个植被群系	100个植被群系
湿地动物	鱼 类	34种	31种
	两栖类	7种	3种
	爬行类	2种	2种
	鸟 类	89种	96种
	兽 类	3种	3种

湿地植物种类和湿地植被群系数量增加，主要是由于第二次湿地资源调查重点调查湿地的数量在第一次湿地资源调查的2个的基础上增加到15个，每个重点调查湿地都对植物开展了实地调查。调查的数据更为详尽。

湿地鱼类数量减少了3种，主要是河流湿地减少和湖泊湿地的沼泽化导致了鱼类种类下降。同时，两栖类种类减少最大，减少了4种。

两栖类在第二次湿地资源调查过程中不仅种类减少了4种，而且数据急剧下降。两栖类是湿地生态状况的表征物种，湿地水文、水质变化，有无外来入侵种，栖息地环境是否受到威胁，食物来源有无变化，气候是否影响过冬和冬眠等都是影响两栖类种群和种类的重要因素。虽然，全国第二次湿地资源调查(宁夏区)没有对两栖类遇到的上述问题开展具体详细的调查，但是种类和数量减少已经说明宁夏湿地的生态状况发生了变化，这种变化影响了两栖类的生活和生存现状。

湿地鸟类种类增加了7种，说明宁夏湿地鸟类栖息地环境质量得到进一步提升。主要是由于近些年野生动物保护力度不断加大，全民爱鸟护鸟意识不断提高，湿地公园、自然保护区的建立为湿地鸟类增加了稳定和优质的栖息地。同时说明重点湿地的生态状况更适宜鸟类的生存。

湿地兽类种类无变化。

第六章 湿地保护与管理

湿地被誉为“地球之肾”，在调蓄洪水、控制径流、涵养水源、净化水质等方面具有其他生态系统不可替代的功能。同时，湿地在固碳释氧、控制气候变暖，改善局部小气候，提供宜居环境和孕育生物多样性方面也具有重要的生态功能。

宁夏湿地面积 20.72 万公顷，占国土面积的 4% 左右，可分为河流湿地、湖泊湿地、沼泽湿地、人工湿地四大类。河流湿地包括永久性河流湿地、季节性或间歇性河流湿地、泛洪平原湿地等三个类型，总面积 9.79 万公顷，占宁夏湿地面积的 47.25%。湖泊湿地包括永久性淡水湖湿地、季节性淡水湖湿地、永久性咸水湖湿地、季节性咸水湖湿地四种类型，总面积 3.35 万公顷，占宁夏湿地面积的 16.17%。沼泽湿地 3.81 万公顷，占宁夏湿地总面积的 18.38%。人工湿地 3.76 万公顷，占宁夏湿地总面积的 18.20%。南部丘陵区以季节性河流湿地、零星人工水库和堰塞湖为主；中部干旱区多为盐沼、盐湖湿地；北部宁夏平原为永久性河流湿地、湖泊湿地和人工湿地。宁夏湿地类型、气候和自然环境的多样性，形成了湿地的植被、水禽种类繁多，且分布广泛，数量较多。宁夏湿地内共生长有 222 种维管束植物，栖息有 139 多种野生动物，其中国家一类保护动物 4 种，二类保护动物 15 种。

近年来，宁夏湿地保护管理工作已形成全社会共同参与的良好氛围，已建湿地保护小区 19 处，在毛乌素沙漠边缘建立盐池哈巴湖国家级湿地自然保护区 1 处，建有青铜峡库区、沙湖和西吉震湖等宁夏(省级)湿地自然保护区 3 处。银川近郊鸣翠湖、阅海、黄沙古渡、鹤泉湖，石嘴山星海湖，农垦镇朔湖、简泉湖，吴忠黄河、青铜峡库区鸟岛、太阳山，中宁天湖湿地，固原清水河，银川宝湖已被批准建成为国家湿地公园和国家城市湿地公园，新建银川黄河湿地、贺兰金马河、贺兰清水湖、贺兰滨河、平罗天河湾、农垦暖泉湖、中卫腾格里湖、中卫香山湖等自治区级湿地公园 8 处，湿地保护面积都达到 16.54 万公顷，湿地保护率达到 60% 以上。

第一节 湿地保护现状

1 科学制定湿地保护中长期规划

2004 年，国务院办公厅下发了《关于进一步加强湿地保护管理工作的通知》，标志着我国湿地保护管理进入了新的发展阶段。宁夏抓住这一难得的发展机遇，组织精干队伍，在广泛、深入调查的基础上，编制了《宁夏湿地保护总体规划》和《宁夏黄河湿地保护利用规划》《宁夏湿地保护工程“十二五”规划》《宁夏湿地公园发展规划》《银川市湿地保护与合理利用“十一五”规划》及《银川市湿地保护合理利用规划(2007～2020)》等宁夏和市级有关湿地保护和恢复的规划。在这些规划里明确提出“保护优先、适度利用、和谐发展”的理念。要求在全国第二次湿地调查的基础上，根据湿地及其资源的重要性、稀缺性和特殊性确定湿地保护的序列，使区内90%的湿地得到有效保护。严禁在湿地上进行损害湿地功能的项目建设。《宁夏湿地保护工程“十二五”规划》首次提出建立宁夏湿地资源补偿基金，在资源利用过程中逐步推行谁使用谁补偿原则，通过不同的补偿方式来实现湿地资源的零消耗。通过建立湿地恢复的生态补偿机制，对于为恢复湿地而造成损失或投入的个人和集体给予适当的补偿；建立流域水环境保护的生态补偿机制，下游使用清洁水源应对上游地区保护水环境的投入和损失给予补偿；建立水权有偿转换机制，鼓励农业节水措施，宁夏政府在利用这一部分节省的水资源开展湿地恢复时，对采取节水措施的集体或个人通过买水方式给予补偿。

2 组建湿地保护管理机构

2008年，在宁夏党委、政府和宁夏林业厅的关怀和支持下，成立了宁夏湿地保护管理中心，隶属宁夏林业厅，系正处级事业单位，这是2008年宁夏新一轮机构改革以来，批建的第一个事业单位。湿地保护管理中心的任务是：负责拟定宁夏湿地保护规划及相关技术标准和规范，湿地公园的保护管理工作、宁夏湿地资源调查、动态监测和统计、负责贯彻执行国家及宁夏有关湿地保护利用的方针、政策和法律法规；负责监督国家及宁夏有关湿地保护利用的方针、政策和法律法规的落实情况等；负责宁夏湿地行政处罚案件的审核、审批工作等。2011年吴忠市成立了由政府牵头，发改、财政、建设、水利、环保、林业、农业等13个部门为成员单位的吴忠市湿地保护管理委员会，同年，宁夏吴忠市政府与湿地国际—中国办事处就开展湿地保护宣传教育达成合作意向并签订合作备忘录，开展各类湿地项目合作，合作备忘录约定：吴忠市黄河湿地公园为签约湿地国际—中国办事处提供一定面积的湿地保护区域，作为双方进行湿地保护和生物多样性保护的实验基地；湿地国际—中国办事处根据吴忠市、宁夏乃至中国西部地区湿地保护的实际需要，定期或不定期举办培训班、研讨会、专题讲座等，广泛交流湿地保护的最新技术成果和信息，为宁夏培训湿地保护人员。吴忠市湿地保护管理委员会的成立，是吴忠市兼顾湿地保护与科学利用，统筹建立起来的特色协调机制，开创了我国西部地区湿地保护管理的先例，也为宁夏探索湿地保护管理机制打下了坚实的基础。截至目前，银川、石嘴山、吴忠、中卫、固原5个地级市均已经建立湿地保护管理机构，湿地保护管理体系明显加强，管理能力、监测水平显著提高。

3 出台湿地保护的地方法规

2008年11月1日，《宁夏湿地保护条例》(以下简称《条例》)正式颁布实施，是全国最早颁布湿地保护法规的省(区)之一。《条例》从科学发展的长远利益出发，体现了保护优先、科学恢复、合理利用、持续发展的原则，规范了人们在湿地保护利用中的行为，明确了湿地保护范围和破坏湿地所承担的法律责任，确立了湿地保护的主管部门和实行综合协调、分部门实施的管理体制。《条例》的颁布实施，标志着宁夏湿地保护管理步入了有法可依、违法必究的法制化轨道，对依法保护湿地、科学修复湿地、合理利用湿地、维护湿地生态系统、充分发挥湿地生态功能，促进经济社会可持续发展具有重要意义。2010 年，宁夏对《宁夏回族自治区湿地保护条例》进行了立法后评估工作，2013 年，银川市出台了《加强黄河银川段两岸生态保护的决定》和《关于加强艾依河保护和利用的决定》。通过相关部门规章的制定，结合沿黄湿地实际，按照“生态优先、科学规划、注重文化、合理利用、持续发展”的原则，加强了林业与财政、水利、国土资源、农牧、农垦、环保、旅游等部门工作协作和配合，强化了机构能力建设、推进了行政立法、加强了宣传教育、制定了行动计划、开展了科研监测、扩大了合作交流。现在，宁夏湿地保护管理工作探索出了一条新路子，生态效益、社会效益和经济效益得到了有机统一。

4　开展宁夏湿地资源调查

根据国家林业局湿地保护管理中心《关于下发第二次全国湿地资源调查工作方案的通知》(林湿调字[2009]4 号)的统一安排，宁夏于 2010 年认真组织开展了湿地资源调查工作。2010 年 3 月，宁夏第二次湿地资源调查工作全面启动，林业厅成立了湿地资源调查工作领导小组、领导小组办公室、专家技术委员会，各市县林业部门也成立了相应机构，组建调查队伍，专司湿地资源调查工作。根据《全国湿地资源调查技术规程(试行)》及《全国湿地资源调查工作方案》，结合宁夏湿地资源保护和管理的实际情况，编制了《宁夏湿地资源调查技术细则》，报经国家林业局湿地保护管理中心核准后组织实施。2010 年 3 月始，参加调查人员 160 多人，举办技术培训班 3 期。通过春季水鸟资源调查阶段、基本资料调查收集、湿地斑块调查，对栖息于 13 块重点调查湿地中的国家Ⅰ级、Ⅱ级和省级重点保护水鸟的种类、分布、种群数量及其迁徙情况等进行了全面、细致的调查。组织各市、县保护部门、有关保护区对重点调查湿地的保护与管理情况、利用与受威胁情况、社会经济状况、自然环境要素和水环境要素等进行详细调查，在各地水利、环保、气象、农业和渔业等部门的大力支持下，获得了全面、翔实的第一手数据资料。同时，宁夏林业厅还成立了由宁夏湿地保护中心和宁夏林业调查规划院组成的林业、卫星遥感、野生动物、野生植物等专业技术人员组成的调查队，在各市、县(区)林业局(园林局)的全面配合下，共同开展宁夏湿地资源外业调查工作。调查范围涵盖了宁夏境内面积在 8 公顷（包括 8 公顷)湖泊湿地、沼泽湿地、人工湿地以及宽度 10 米以上，长度 5000 米以上的河流湿地，历时一年半时间，全面摸清了宁夏湿地资源的基本状况和演替趋势，发现了宁夏湿地存在的问题，为科学保护和可持续利用湿地资源的决策工作夯实了基础。

5　加强湿地公园建设，湿地资源监测水平明显提高

湿地公园是以具有显著或特殊生态、文化、美学和生物多样性价值的湿地景观为主体，具有一定规模和范围，以保护湿地生态系统完整性、维护湿地生态过程和生态服务功能，并在此基础上充分发挥湿地的多种功能效益、开展湿地合理利用。湿地公园建设是宁夏湿地保护的主要形式，近年来，宁夏党委、政府高度重视湿地保护管理工作，将湖泊湿地的保护与恢复列入宁夏生态建设的重点工作，在建设湿地公园的过程中，充分发挥了政府重要的主导作用。银川市委、政府多次召开专题会议，就如何多快好省地建设宁夏第一个国家湿地公园——鸣翠湖和阅海园区进行研讨和论证，彻底解决了鸣翠湖的地权和管理体制等问题。宁夏政府在财政有限的情况下，连续几年安排大量资金用于阅海湿地的保护和基础建设，从资金和物资上为湿地公园的发展提供了

坚实保障。2010 年，宁夏举办首届中国—阿拉伯商贸论坛时，更是将阅海国家湿地公园作为主会场和承办方，对银川湿地公园的建设成就向世界作了最好、最大的全方位宣传。

宁夏目前建有 4 处自然保护区、12 处国家湿地公园、8 处自治区级湿地公园，这些部门始终以建设和谐湿地为目标，认真处理湿地保护与当地经济发展和人民群众生产生活的关系。在推动湿地公园建设的同时，兼顾惠及周边群众生产生活，把促进当地经济发展和保障群众生活纳入国家湿地公园建设的重要内容，积极探索人与湿地和谐相处，共同发展的新路子。湿地公园建成后，取得显著的生态效益，有效地开发了湿地的生态旅游价值，促进了周边地区经济发展，提高了社区群众生活水平，群众自发地参与到湿地保护和建设中来，各项活动都得到了周边群众的热烈拥护和支持。通过发展湿地生态旅游、湿地水生植物种植、湿地水产品养殖等新举措，以湿地资源利用为特征的绿色生态型产业正方兴未艾。目前，以国家湿地公园为平台，各湿地单位分别成立了湿地生态和野生动植物标本展览馆、湿地水生植物园、野生鸟类喂养长廊等，星海湖国家湿地公园名副其实地成为石嘴山市一道旅游观光的美丽风景，沙湖宁夏湿地博物馆、银川鸣翠湖的湿地陈列馆既是展示湿地保护成果、标本收藏、开展湿地保护教育、科学研究的重要场所，也是开展湿地生态旅游的重要景点。

宁夏认真开展湿地公园科研监测，作为湿地生态保护的一项重要内容，2008 年建立了银川国家湿地公园鸣翠湖园区鸟类疫源疫病国家级观测站、阅海园区鸟类环志站，对迁徙及在银川湿地繁衍的鸟类加强了保护，开展了“银川国家湿地公园鸣翠湖园区、阅海园区湿地恢复技术研究”“鸣翠湖芦苇与湖泊湿地关系的研究”“阅海芦苇退化研究及措施”等科研攻关项目，为恢复湿地生态，保护鸟类栖息地提供了技术支撑。在湿地监测方面，宁夏的国家湿地公园承担湖泊环境调查、监测，理化性质监测、湖泊沉积物监测、生物要素监测、生物生产力监测等监测管理工作内容，环境部门和水利监测部门承担水文、水质环境监测工作，各单位共享数据。目前，宁夏被列入重点水质监测的湖泊有沙湖、鸣翠湖、宝湖、阅海、星海湖、吴忠黄河湿地、青铜峡鸟岛、鹤泉湖、黄沙古渡、平罗天河湾等单位。2014 年，宁夏申请了国家湿地公园生态定位站项目，若该项目能够申报获准，将建立具有代表性湖泊水质监测室，配备专业设备、培养专业人员、把湖泊野外监测，水质监测工作尽快开展起来，为开展宁夏湖泊湿地健康评价提供科学依据。

6 实施湿地保护恢复重点项目

近年来，国家林业局高度重视宁夏湿地生态建设工作，先后在宁夏实施了多个湿地保护恢复项目。银川市、吴忠市、中卫市、石嘴山市、宁夏农垦系统共筹资近 20 亿元，对湿地生态进行抢救性恢复建设。银川市筹资 2.5 亿元建设了银川国家湿地公园、景观水道等自然湿地，使银川的水域面积扩大了近 2000 公顷。结合塞上湖城建设，银川市在艾伊河湿地建设了 23 公里景观水道，形成了一道水不断流、绿不断线、景不断链的四季常绿的湿地景观，鸣翠湖国家湿地公园被评为“中国最美的六大湿地公园”之一。“十二五”期间，银川市恢复治理湿地工程再掀高潮，永宁县银子湖扩整工程恢复湿地 140 公顷，恢复重建了珍珠湖湿地，并与鹤泉湖湿地连通，在县城周边形成了近 670 公顷的环城湿地，复还了中华回乡、塞上湖城的面貌。吴忠市把滨河湿地生态保护示范工程作为全市一号工程，投资近 1 亿元，恢复水域面积 1340 公顷，在牛首山下修整恢复昊盛湖、天辰湖、同盛湖等湿地，增加水面 340 公顷；沿石中高速公路两侧建成 11 公里的景观水道，扩大水面 200 公顷；对同心县境内的 54 公里的清水河湿地生态治理恢复，在干旱的同心县周围恢复了470公顷的湖面，创造了千年旱原出平湖的壮丽奇观。中卫市在腾格里沙漠和灌区边缘地带恢复保护湿地，分三期共投资4亿元，保护恢复近3400公顷湿地。工程贯通了100多个养鱼池，连通水面0.667万公顷，新增绿化面积134公顷。日渐干枯萎缩的湿地湖泊得到恢复，成为水波潋滟、鱼跃鸟翔、芳草吐香的湿地新景观，天地之灵气尽现腾格里湿地。石嘴山市集中人力、物力、财力，保护和恢复星海湖湿地，经过5年的保护和恢复工作，投资约1.5亿元，星海湖已形成面积4800公顷、水面面积3000公顷的宁夏最大的湖泊湿地，充分发挥着调蓄洪水，涵养水源，调节气候，改善环境，维护生物多样性等多种生态功能。西吉县震湖湿地是1920年海原特大地震诱发黄土滑坡堵塞滥泥河形成的堰塞湖，是目前世界罕见的地震诱发黄土滑坡的天然博物馆，震湖湿地景观恢宏，与群山相守相望、互依共生，是地质运动留下的最为壮观的山水画卷，目前，震湖湿地已经建成自然保护区，震湖地质资源和湿地资源得到了有效保护。宁夏农垦系统立足所辖湿地丰富的实际，积极探索保护和利用的有机结合、资源优势向经济优势转化的最佳途径和模式，大力发展水生种植、水产养殖、水上旅游等产业，实现湿地保护与经济效益和谐统一，为宁夏湿地的合理开发、科学利用及可持续发展积累了宝贵经验，起到了示范带动作用。

7 启动湿地补助资金项目

随着城市化和工业化进程加快，全球湿地面积呈持续减少，湿地水体污染严重，生态功能严重退化趋势。为了维护国家生态安全和实现经济社会可持续发展的迫切需要，完善公共财政支持湿地生态建设，国家财政部和国家林业局决定从2010年起开展湿地保护补助工作。截至目前，宁夏已获补助资金8650万元，盐池哈巴胡、青铜峡库区自然保护区、银川黄沙古渡、鹤泉湖、星海湖、简泉湖、镇朔湖、吴忠黄河、太阳山、天湖、固原清水河国家湿地公园都得到了中央财政补助资金的支持。根据《财政部关于拨付2014年中央财政林业补助资金的通知》，宁夏确定哈巴湖国家级自然保护区为宁夏湿地生态效益补偿试点区，自然保护区内、周边1公里内受损耕地面积共计13274.43公顷，涉及保护区内受损耕地承包经营权人1197户，4192人；自然保护区周边1公里范围内受损耕地承包经营权人1864户，6235人。补偿资金按每公顷受损90元计算，受损耕地补偿1192万元，周边社区环境整治及湿地生态修复1808万元，共计补偿资金3000万元。

根据2014年国家退耕还湿、生态效益补偿试点工作安排和部署，宁夏已开展摸底调查等工作。宁夏地处祖国内陆，黄河纵贯397公里，形成了大量黄河滩涂湿地和低产盐碱地，很多成为非在册耕地和非第二轮土地承包地，此类土地亟需退还为湿地。根据宁夏现有国家湿地公园和湿地类型自然保护区退耕还湿的条件要求，规划到2018年退地还湿14742公顷。

8 开展湿地保护宣传工作

多年来，宁夏高度重视湿地保护管理的宣传工作。每年2月2日世界湿地日，都投入大量的人力、物力，利用报告会、座谈会、现场观摩会、知识竞赛等活动开展多种形式的湿地保护知识宣传。在鸟类迁徙季节，根据宁夏80%以上禽鸟栖息在湿地的特点，部署有关湿地管护单位积极开展爱鸟护鸟活动，组织开展沙湖国际湿地观鸟节、爱鸟周摄影展等，国内各大媒体都对宁夏湿地保护工作和宣传日开展情况进行大量报道。通过宣传，鼓励市民，特别是青少年保护湿地，爱鸟护鸟，如贺兰清水湖自治区级湿地公园处于鸟类迁徙路线，每年鸟类迁徙期间都有大量的苍鹭在此繁殖，繁殖的鸟类将鸟窝做在芦苇上，给承包湿地的农民造成了一定的经济损失，但是为了不影响鸟类的繁殖，农民不但没有将鸟赶走，还自己买来粮食进行投放解决鸟类繁殖时期的捕食问题。鸣翠湖国家湿地公园工作人员在巡湖时发现受伤的白鹭，将其带回管理站进行治伤，派专人进行饲养，伤好后放回自然。2010 鸣翠湖和阅海国家湿地公园进行了较大规模的安放鸟巢及鸟类放生活动，并组织青少年参与。2012 年 4 月，由亚洲开发银行主办、宁夏财政厅承办的"中国宁夏综合湿地国际研讨会"在宁夏沙湖自然保护区举行，由大会发起并参加的"保护湿地、爱护鸟类。让我们共同行动"万人签名活动在沙湖举行，中学生宣读了"爱鸟宣言"，参加研讨会的国内外来宾和专家纷纷签名，表达了对"人与鸟类和谐相处"的理念和责任。2013 年，国家林业局和中央电视台联合举办中国十大"魅力湿地"评选活动，这是国家首次对全国重要湿地进行的官方正式评选。宁夏把参加"魅力湿地"评选活动作为打造宁夏湿地生态建设品牌定位，通过中央电视台的强势宣传、多年来宁夏湿地保护方面的扎实工作及入选中国十大"魅力湿地"所创造强大的舆论氛围和浓厚的参与氛围，宁夏沙湖从全国 50 个"魅力湿地"中脱颖而出，成功入选全国十大"魅力湿地"，此次获评充分证实了宁夏生态文明建设的成果，向全国乃至世界展示了宁夏沙湖和《宁夏——塞上江南》纪录片的无限魅力，通过十大魅力湿地评选，宁夏电视台连续十天在黄金时间播出宁夏重要湿地 10 集系列片，展示宁夏湿地保护的巨大成就，对宁夏发展以黄河为依托的旅游产业发挥了积极的作用。

9 确定宁夏重要湖泊湿地分布

9.1 重要湖泊确定的原则

确定重要湖泊的目的，是为了以其代表性和示范性，重点开展起恢复、保护与合理利用的研究，以便及时开展保护和管理工作。根据国际、国内、宁夏的实际情况，确定重要湖泊湿地的原则有：

(1)已列入国际重要湿地、国家重要湿地名录的湖泊湿地。

(2)已被国家有关部门批准建立国家级湿地自然保护区、国家级湿地公园的湖泊湿地。

(3)已被宁夏政府或有关部门批准建立自治区级自然保护区，自治区级湿地公园的湖泊湿地。

(4)面积大于 20 公顷湖泊湿地或多块湖泊湿地符合体，且具有重要生态意义和保护价值的湖泊湿地。

(5)作为世界濒危或国家重点保护野生动物的重要栖息、繁衍地的湖泊湿地。

(6)100000 只以上的多种或占种群总数% 水鸟繁殖、越冬、迁徙停歇的湖泊湿地。

(7)具有典型代表或特有类型的湖泊湿地。

(8)具有历史文化意义的湖泊湿地。

(9)为改善环境等原因而建造的特定人工湖泊湿地。

9.2 重要湖泊湿地名录

根据以上原则和标准，参照标准对宁夏符合湖泊湿地进行评估，提出宁夏湖泊 146 处(表 6-1)。其中：银川市重要湿地 90 个，阅海、鸣翠湖、黄沙古渡、鹤泉湖、宝湖、银川黄河、贺兰清水湖、长河湾、金马河、漫水塘湖、梧桐湖、章子湖、孔雀湖、丽景湖、燕鸽湖、小苑湖、银湖、清水湖、海宝湖、龙眼湖、艾伊河、七子连湖、元宝湖、华雁湖、森林公园、犀牛湖、金波湖、兴庆湖、碧波公园、镇北堡湿地、文昌双湖、银西湿地、疙瘩湖、唐湾湖、龙头湖、孙家大湖、王家广湖(新银)、宋家湖、大湖、杨家湖、黄家湖、鱼湖、老湖、林场蒲湖、杨家大湖、马大湖、胶泥湖、银子湖、王家广湖(立强)、海子湖、弯子湖、庙头湖、垒古湖、大凹湖、席草湖、教场湖、南方湖、沿山湖、小草湖、下城湖、苏家湖、西部水系、黄河湿地、西湖湿地、长流水湿地、平原水库、鸭子荡水库、大蒲草湖、三道湖、南北大湖、北大湖、黄河滩地、蒋家湖、胡家湖、马家湖、金沙湾湿地、沙湖滩、三社湿地、寇家湖湿地、如意湖、黄家湖(高渠村)、复兴渠北湖、姚家沙湖、庙湖、乔家湖、雷子湖、管子湖、月亮湖、艾伊河、正源北街两侧水系。

石嘴山市重要湿地 11 个，星海湖、镇朔湖、简泉湖、沙湖、黄河湿地林场、明水湖、威镇湖、明月湖、高庙湖、西大湖、康熙饮马河。

吴忠市重要湿地 22 个，黄河湿地公园、太阳山湿地公园、青铜峡库区、哈巴湖国家级自然保护区、黄家地湿地、三道湖湿地、南环水系、清水沟、苦水河、黄河沿岸湿地、唐西干渠湿地、红庄碱滩、官滩碱滩、花马湖湿地、四儿滩碱湖、沙边子皖记沟刺滩、清水河湿地、豫海湿地、丁家二沟湿地、小洪沟湿地、王团湿地、黑风沟湿地。

中卫市重要湿地 12 个，天湖、腾格里湖、香山湖、滨河大道两侧湖泊、黄河湿地公园、清水河流域、石峡口湿地、园河流域、笕麻河、中河流域、李俊海子湿地、三塘流域。

固原市重要湿地 17 个，清水河、震湖、东马场、贺家湾、西海子、海子峡、新民河、东峡河、龙潭水库、盛义河、香水河、羊槽河、颉河等。

表 6-1 宁夏重要湿地统计表

序号	市、县	湿地名称	地 点	面积(公顷)	备 注
1	银川市	鸣翠湖	兴庆区掌政镇	670.00	国家湿地公园
2		阅海	金凤区西湖农场	1932.00	国家湿地公园
3		黄河月牙湖	兴庆区月牙湖乡	1000.00	国家湿地公园
4		鹤泉湖	永红	200.00	国家湿地公园
5	石嘴山市	星海湖	大武口区东部	64500.00	国家湿地公园
6	吴忠市	黄河湿地公园	吴忠市	2876.00	国家湿地公园
7		太阳山湿地公园	太阳山开发区	2447.50	国家湿地公园
8	青铜峡市	库区湿地保护区	青铜峡市南部	14154.00	国家湿地公园
9	固原市	清水河	固原市原州区	726.00	国家湿地公园
10	中宁县	天湖	长山头	2333.30	国家湿地公园
11	吴忠市	哈巴湖	盐池县	68000.00	国家级自然保护区
12	银川市	宝湖	金凤区宝湖路	92.00	国家城市公园
13		银川黄河湿地公园	兴庆区掌政镇月牙湖乡	2660.00	自治区级湿地公园
14		珍珠湖	永红	208.00	自治区级湿地公园
15	贺兰县	清水湖湿地公园	金贵镇江南村	667.10	自治区级湿地公园
16		长河湾湿地公园	金贵镇通昌村	442.00	自治区级湿地公园
17		金马河湿地公园	金贵镇通昌村	880.00	自治区级湿地公园

（续）

序号	市、县	湿地名称	地 点	面积（公顷）	备 注
18	石嘴山市	镇朔湖	平罗县	780.00	国家湿地公园
19		黄河湿地	平罗县	7583.50	自治区级湿地公园
20		简泉湖	惠农区	900.00	国家湿地公园
21		沙湖	平罗县姚伏镇	3169.00	区级自然保护区
22	中卫市	腾格里湖	中卫市区西北	1010.90	自治区级湿地公园
23		香山湖	中卫市南边	518.00	自治区级湿地公园
24	西吉县	震湖	西吉县震胡乡	122.50	自治区级自然保护区
25	青铜峡市	库区湿地保护区	青铜峡市南部	14154.00	自治区级自然保护区
26	灵武市	漫水塘湖	郝家桥镇	260.00	
27		梧桐湖	梧桐树乡	1500.00	
28	贺兰县	三丁湖	常信乡丁北村	353.20	
29	石嘴山市	明水湖	平罗威镇	270.00	
30	平罗县	威镇湖	城关	262.00	
31	青铜峡市	黄家地湿地	树新林场	530.00	
32		三道湖湿地	瞿靖镇	100.00	
33	银川市	清水湖	兴庆区掌政镇	220.00	
34		海宝湖	兴庆区上海路	225.00	
35		龙眼湖	金凤区丰登镇	212.00	
36		艾伊河	永宁县、金凤区、贺兰县	1010.00	
37		七子连湖	金凤区良田镇	147.90	
38		元宝湖	金凤区丰登镇	100.00	
39		华雁湖	金凤区良田镇	22.00	
40		森林公园	金凤区	36.00	
41		犀牛湖	西夏区镇北堡镇	160.00	
42		金波湖	宁夏大学	21.00	
43		镇北堡湿地	西夏区镇北堡镇	493.00	
44		文昌双湖	西夏区文昌南路	24.00	
45		银西湿地	永宁县、西夏区、贺兰县	2642.00	
46		疙瘩湖	新银	22.00	
47		唐湾湖	西位	20.00	
48		龙头湖	西位	36.00	
49		孙家大湖	立强	208.00	

（续）

序号	市、县	湿地名称	地　点	面积(公顷)	备　注
50	银川市	王家广湖	立强	20.00	
51		宋家湖	立强	68.00	
52		大湖	政权	21.00	
53		杨家湖	政台	190.00	
54	永宁县	黄家湖	杨显	21.00	
55		鱼湖	杨显	17.00	
56		老湖	杨显	16.00	
57		林场蒲湖	园林	21.00	
58		杨家大湖	五渠	23.00	
59		马大湖	南全	76.00	
60		胶泥湖	南全	25.00	
61		银子湖	新银	134.00	
62		王家广湖	新银	58.00	
63		海子湖	金星	466.00	
64		弯子湖	金星	44.00	
65		庙头湖	金星	23.00	
66		垒古湖	西和	44.00	
67		大凹湖	新华	15.00	
68		席草湖	新华	26.00	
69		教场湖	南方	18.00	
70		南方湖	南方	23.00	
71		沿山湖	宁化、李庄	125.00	
72		小草湖	魏团	20.00	
73		下城湖	魏团	20.00	
74		苏家湖	魏团	39.00	
75		西部水系	李俊、望洪、杨和	160.00	
76		黄河湿地	李俊、望洪、杨和	1923.00	
77		西湖湿地	东塔镇	42.00	
78		长流水湿地	白土岗乡	120.00	
79		平原水库湿地	崇兴镇	97.00	
80		鸭子荡水库湿地	临河镇	300.00	
81		大蒲草湖	金贵镇关渠村	10.50	

（续）

序号	市、县	湿地名称	地 点	面积(公顷)	备 注
82	永宁县	三道湖	立岗金星村	24.00	
83		南北大湖	立岗兰丰村	36.00	
84		北大湖	立岗兰光村、先进村	120.60	
85	灵武市	黄河滩地	立岗永兴村村	540.00	
86		蒋家湖、团结湖	常信乡团结村、桂文村	28.00	
87		胡家湖	常信乡团结村、桂文村	35.30	
88		马家湖	常信乡新华村	57.30	
89	贺兰县	金沙湾湿地	常信乡五渠村	70.60	
90		沙湖滩	金贵镇银河村	23.90	
91		三社湿地	常信乡新民村	23.30	
92		寇家湖湿地	常信乡谭渠村	930.60	
93		如意湖	习岗镇县城	82.00	
94		黄家湖	洪广镇金沙村、高渠村	21.00	
95		复兴渠北湖	金沙4社	23.30	
96		姚家沙湖	洪广镇营电排沟	20.00	
97		庙湖	洪广北庙5社	22.00	
98		乔家湖	洪南10社	24.00	
99		雷子湖	北庙4社	20.00	
100		管子湖	北庙9社	20.00	
101		月亮湖	南梁台子铁东村	94.00	
102		艾伊河	常信乡五渠村、高荣村	240.00	
103		正源北街两侧水系	习岗镇利民村	49.00	
104		明月湖	京藏高速以西	1600.00	
105		高庙湖	惠农县	362.50	
106		西大湖	姚伏	460.00	
107		康熙饮马河	城关	25.00	
108		南环水系	上桥镇、板桥乡	104.00	
109		清水沟	东塔寺乡、郭家桥乡	214.00	
110		苦水河	古城镇、扁担沟镇	1933.30	
111		黄河沿岸湿地	青铜峡市东侧	2843.50	
112	石嘴山市	唐西干渠湿地	青铜峡市中西部	322.00	
113		红庄碱滩	红庄	691.30	

（续）

序号	市、县	湿地名称	地　点	面积(公顷)	备　注
114	平罗县	官滩碱滩	官滩	7198.00	
115		花马湖湿地公园	花马湖	152.00	
116	吴忠市	四儿滩碱湖	四儿滩	606.67	
117		沙边子皖记沟刺滩	沙边子	2081.30	
118		清水河湿地	同心县境	1006.67	
119	青铜峡市	豫海湿地	县城周边	666.67	
120		丁家二沟湿地	丁家二沟水库	333.30	
121	盐池县	小洪沟湿地	小洪沟水库	200.00	
122		王团湿地	王团镇生态园	66.67	
123		黑风沟湿地	黑风沟拦洪坝	133.30	
124		东马场		20.00	
125		贺家湾		16.57	
126	泾源县	新民河、先进水库	新民乡先进村	84.40	
127		东峡河、龙潭水库	泾河源镇、东峡	142.00	
128		盛义河	兴盛乡石坎沟	81.40	
129		香水河	香水镇	180.40	
130		羊槽河	黄花	20.50	
131		颉河	六盘山镇	29.80	
132		滨河大道两侧湖泊	滨河大道两侧	76.67	
133				233.30	
134	海原县	清水河流域湿地	高崖、李旺	215.20	
135		石峡口湿地	关桥	709.00	
136		园河流域湿地	西安、树台	483.10	
137		中河流域湿地	曹洼、红羊、关庄	139.50	
138		苋麻河湿地	郑旗、三河	929.10	
139		李俊海子湿地	李俊	232.10	
140	中宁	三塘流域湿地	贾塘、史店	660.90	
141	同心	赵千户		45.08	
142		贾塘史店		66.09	

第二节 湿地保护管理建议

1 建立和形成湖泊水生态管理系统

宁夏国土面积的3/4处于干旱地带，降水稀少，气候干燥。宁夏多年平均降水260～280毫米，且时空分布不均，由南向北递减，其中经济较集中的北部灌区年降水仅180毫米。区内自产水资源量少质差，属资源型缺水地区，工业、农业生产主要依赖过境黄河水，一般年份允许耗用黄河水资源量40亿立方米。水资源紧缺是威胁宁夏湿地的首要因素，按照现行的管理系统，湖泊水生态管理系统分属各有关部门，即水资源由水利行政主管部门统一管理，负责水资源配置、水资源调度、水资源监测，以优化配置，科学利用水资源为主；水环境由环境保护主管部门统一管理，负责水污染防治的统一监督管理、水质监测，以监督管理水环境为主；水生态由林业行政主管部门组织，协调和监督管理，负责包括水资源、生物资源等要素在内湖泊湿地的保护及合理利用、以及组织和协调保护湖泊湿地、土地资源等要素在内的湖泊湿地的保护及合理利用。

2011年吴忠市政府成立吴忠市湿地保护管理委员会，发改、财政、建设、水利、环保、林业、农牧、科技、国土资源等10个部门为成员单位，吴忠市政府分管领导任主任，秘书处设在市园林局，园林局领导任秘书长。这一管理体制的主要特点是：政府牵头负责湿地保护和合理利用的工作，按职责分工将工作细化分配到各职能部门。应该说，在目前体制下，这种管理体系是符合实际的，也一定程度上发挥了作用。宁夏吴忠市政府与湿地国际—中国办事处达成合作开展湿地保护宣传教育意向并签订了合作备忘录，共同开展各类湿地项目合作，作为一个地市级，吴忠市湿地保护工作走在了宁夏前列。

2 建立湖泊湿地水平衡的保障机制

水资源是基础资源，特别对于宁夏平原这样的绿洲城市而言，是城市和区域发展的胁迫因素。如何协调湖泊湿地生态用水与群众生活用水和各项建设项目用水之间的矛盾是一个重要的问题，必须从多方面入手，建立生态用水管理和合理利用的长效机制，才能以有限的水资源支撑区域自然生态和社会经济的可持续发展。

2.1 摸清资源底数

掌握宁夏平原湖泊湿地水平衡和生态需水特征，是水资源保护和管理的基础，宁夏湿地工作与相关科研、高校等单位广泛合作开展湖泊湿地水文生态调查，建立重点湿地的水量水质监测网络，利用现代信息技术，进行遥感监测，掌握水资源本底、需求以及动态变化规律，建立决策支持系统，为湖泊湿地水资源乃至整体区域生态用水的开发、利用、管理和保护提供科学技术支撑。

2.2 制定生态用水规划，统筹利用水资源

以保护区域生态与自然环境的良性发展为出发点，本着优水优用、节约集约利用、合理利用等原则，合理安排生态用水，高起点、高水平、高质量的编制《宁夏平原生态环境用水规划》，划分生态用水功能区域，分时段生态用水等规划。通过对湖泊湿地各项生态用水供需形势、资源环境支持度等的系统分析，对宁夏生态用水利用中存在问题进行综合调研，提出生态用水合理开发利用的对策措施，并通过政策手段强化规划的约束和引导作用。

2.3 实施"多渠道开源、水质量联动"的湖泊湿地用水战略

沟道灌溉退水、渠道引接黄河水、浅层地下水是宁夏平原湖泊湿地补给的常规水源，中水、雨洪水、渠道余水、转移使用的建设排水等都是新型的生态补水替代水源，要通过加大技术投入和设施建设，扩大这些替代水源的利用率。一般情况下，城市用水的70%以上将转化为污水，经深度处理后的城市污水是城市的再生水资源，数量非常巨大，可作为湖泊湿地的重要补给来源，也可用于作物的灌溉用水、工业冷却水、城市绿化用水、环境用水等。在保证湖泊湿地需水量的同时，还要保证其水质，要建立重点湖泊的水质定期监测制度，有水量水质调节的应急预案，从而建立水量水质联动机制，避免水质恶化造成的湖泊湿地生态恶化。

2.4 通过多水资源联动调度，维持湖泊湿地的水平衡

在制定生态用水规划的基础上，统一调度和联动开发水资源，总体讲，应以沟渠灌溉退水为基本水源，黄河水、地下水为应急水源，中水、雨洪水等其他水源为替代水源，并且应当建立起湖泊湿地间的水资源相互调剂制度，对重点湖泊根据湖泊湿地的具体功能需求，建立合理、针对性强的水资源配置方案，如洪积扇前缘湖泊湿地，增加雨洪水资源的配额，缩小或取消地下水补给份额；沿黄一线湖泊湿地则以灌溉退水为主，增加中水比例；城市内湖在延续各自补给模式的同时，重点考虑建筑基坑排水的转移及城市积雨水的再生利用。

3 根据湿地类型不同，实行分类保护

从宁夏区情和建设大西北生态屏障的国情出发，应长期将保护水资源和防治荒漠化作为宁夏生态体系建设的第一要务，充分发挥河流与湖泊沼泽湿地调蓄洪水、涵养水源、净化水质的功能，为宁夏经济社会发展提供充足和优质的水资源。

宁夏湿地生态系统建设的布局可分为黄河以西湖泊湿地群、黄河沿岸湿地、中部干旱带碱湖湿地、南部六盘山区三河源湿地四大部分，对湖泊湿地重点进行湿地功能优化，河流湿地重点开展两岸湿地的自然恢复，碱湖湿地通过建立保护区和保护小区进行长期保护，三河源湿地开展小流域综合治理以减少水土流失和水质下降。

3.1 黄河湿地的保护与功能恢复

沿黄湿地的保护和恢复可依托重点湿地保护恢复工程，按照城市中心区沿黄湿地、非城市中心区沿黄湿地两类进行保护和恢复。城市中心区沿黄湿地要充分考虑黄河行洪、汛期城市生态安全和城市景观等作用，保持滩涂面积和湿地植被，保留岛屿和沙洲，规划景观岛、鸟岛栖息地、

植被区等单元，实现景观多样性与生物多样性的良好结合。非城市中心区黄河沿岸湿地要实现退耕还湿还滩，恢复两岸自然地貌，以自然恢复为主、人工适度干预为辅的方式进行植被恢复，实现水质改善和提高河流湿地的生物多样性。

3.2 黄河以西、贺兰山和腾格里沙漠以东湖泊湿地功能进化

一些沿黄湖泊湿地的生态效益和对城市发展重要功能尚未得到充分显现，对于这些湖泊群应按其自身特点和城市建设的需要，将湖泊生态系统的功能优化作为重点，而不是一味地扩大湖泊湿地的面积。通过景观规划、植被恢复、水质提升、加强连通性和生物栖息地改善，实现湖泊湿地的功能优化。可从中卫、吴忠、银川、石嘴山市各选1~2处具有典型性和功能尚不完善的湖泊湿地，科学规划和建设形成不同恢复技术的示范区，为今后整个区域湖泊湿地群的功能优化提供科研监测、宣传教育和保护管理等经验。

3.3 南部山区三河源流域湿地生态恢复

拟建立清水河下游湿地自然保护区，同时在中上游实行小流域综合治理。主要通过退耕还林、水土保持工程治理措施，疏浚河道，保护和恢复河流周边原有的湿地面积，植树种草，改善清水河水土流失严重、泥沙含量大、水质差的特点，充分发挥该区域湿地的生态功能，尤其是涵养水源、蓄洪防旱方面的功能，改善当地的环境条件，实现湿地资源的可持续利用。在三河源营造水源涵养林，开展小流域综合治理，减少水土流失，提高调蓄洪水和涵养水源的能力。

3.4 中部干旱带碱滩湿地及其生物多样性保护

中部干旱带的盐池县、红寺堡、同心县和中宁县区域内湿地多为季节性咸水湖、盐碱滩和永久性咸水湖湿地，是区域性重要的水源涵养地，对区域生态系统稳定有着至关重要的作用。在荒漠湿地区建立湿地保护和恢复示范工程，通过生态措施和工程措施，遏制湿地周边区域土地沙漠化趋势，改善湿地生态环境，提高湿地生物的多样性。

4 建设湿地自然保护区、湿地公园、国际重要湿地

建立湿地自然保护区和湿地公园是落实国家湿地分级分类保护管理策略的具体措施，也是当前采取多种形式，加快推进自然湿地的抢救性保护，以及维护和扩大湿地保护直接且有效的途径之一。通过建立湿地公园、划定湿地自然保护区或保护小区形式，将具有重要保护价值的湿地纳入国家湿地保护体系；进一步在有条件的地区开展湿地恢复工作，对已退耕还湿的湿地加强管理，科学补植水生植被，合理调控水位，恢复和保护湿地生物多样性；保障湿地生态用水，防止湿地萎缩和质量下降，维持湿地功能和价值；在湿地公园和湿地自然保护区建设中，积极开展科学研究和湿地宣传教育，适当开展生态旅游活动，实现湿地资源的合理利用；鼓励社区参与湿地管理，提高湿地周边群众保护湿地意识，有利于调动社会力量参与湿地保护与可持续利用，改善区域生态。

目前，宁夏已建立4个湿地类自然保护区(表6-2)，12处国家湿地公园(表6-3)，8处自治区级湿地公园(表6-4)。通过新建一批湿地自然保护区、保护小区和湿地公园(表6-5)，国际重要湿地(表6-6)，提高保护管理机构在湿地资源监测、湿地科学研究和保护管理水平等方面的能力和

水平。

表 6-2　宁夏已建湿地类自然保护区基本情况(公顷)

序号	名称	地点	面积	湿地类型	成立时间(年)
1	哈巴胡国家级自然保护区	盐池县	84000	沼泽	2006
2	沙湖自然保护区	石嘴山市	5580	湖泊	1997
3	青铜峡库区自然保护区	青铜峡市	19500	湖泊	2006
4	西吉震湖自然保护区	西吉县	4100	湖泊	2003

表 6-3　宁夏已建国家湿地公园基本情况表(公顷)

序号	名称	地点	面积	湿地类型	成立时间(年)
1	银川国家湿地公园阅海园区	银川市	3198	湖泊	2006
2	银川国家湿地公园鸣翠湖园区	银川市	1344	湖泊	2006
3	石嘴山星海湖国家湿地公园	石嘴山市	3283	湖泊	2009
4	银川黄沙古渡国家湿地公园	银川市	2265	河流	2009
5	吴忠市	吴忠市	5401	湖泊、河流	2009
6	青铜峡鸟岛国家湿公园	青铜峡市	11811	湖泊、河流	2010
7	中宁天湖国家湿地公园	中卫市	2956	湖泊	2010
8	固原清水河国家湿地公园	固原市	726	湖泊	2011
9	永宁鹤泉湖国家湿地公园	永宁县	667	湖泊	2012
10	太阳山国家湿地公园	吴忠市	2247. 5	湖泊	2012
11	宁夏镇朔湖国家湿地公园	石嘴山市	1600. 76	湖泊	2013
12	宁夏简泉湖国家湿地公园	石嘴山市	900	湖泊	2013
13	银川宝湖城市湿地公园	银川市		湖泊	2009

表 6-4　宁夏已建自治区级湿地公园基本情况(公顷)

序号	名　称	地点	面积	湿地类型	成立时间
1	贺兰金马河湿地公园	贺兰县	880	湖泊	2008 年
2	银川黄河湿地公园	银川市	2660	湖泊	2012 年
3	农垦暖泉湖湿地公园	贺兰县	1357	湖泊	2012 年
4	平罗天河湾湿地公园	平罗县	23110	河流	2013 年
5	贺兰县清水湖湿地公园	贺兰县	667. 1	湖泊	2013 年
6	贺兰县滨河湿地公园	贺兰县	442	河流	2013 年
7	中卫腾格里胡湿地公园	中卫市	3226	湖泊	2013 年
8	中卫香山湖湿地公园	中卫市	518	湖泊	2013 年

表 6-5 宁夏拟建湿地公园名录(公顷)

级别	序号	名称	湿地类型	所在地(市)、县	规划面积	拟建时期	升级时期
国家级	1	银川黄河湿地	湖泊	银川市	2660	近期	
国家级	2	平罗天河湾	河流	平罗县	3500	近期	
国家级	3	贺兰清水湖	湖泊	贺兰县	667.1	近期	
国家级	4	贺兰滨河湿地	河流	贺兰县	442	近期	
国家级	5	中卫腾格里湖	湖泊	中卫市	1010.9	近期	
国家级	6	中卫香山湖	湖泊	中卫市	518	近期	
地方级	7	惠泽湖	湖泊	惠农区	533	近期	
地方级	8	平罗滨河	河流	平罗县	3450	近期	
地方级	9	简泉湿地	湖泊	大武口县	2719	中期	
地方级	10	镇朔湖	湖泊	平罗县	10933	中期	
地方级	11	西大湖	湖泊	平罗县	800	中期	
地方级	12	黄河湿地	河流	兴庆区	1320	中期	
地方级	13	艾伊河	河流	金凤区	800	近期	
地方级	14	镇北堡湿地	湖泊	西夏区	300	近期	
地方级	15	月亮湖	湖泊	贺兰县	160	中期	
地方级	16	三丁湖	湖泊	贺兰县	800	近期	
地方级	17	余祥湖	湖泊	贺兰县	1800	中期	
地方级	18	珍珠湖	湖泊	永宁县	200	中期	
地方级	19	黄羊滩湿地	湖泊	永宁县	333	近期	
地方级	20	梧桐树湖	湖泊	灵武市	300	中期	
地方级	21	清宁河	河流	利通区	200	中期	
地方级	22	苦水河	河流	利通区	300	中期	
地方级	23	花马湖	湖泊	盐池县	1000	近期	
地方级	24	四尔滩	湖泊	盐池县	800	近期	
地方级	25	丁家二沟	湖泊	同心县	60	中期	
地方级	26	王团湿地	人工	同心县	40	中期	
地方级	27	青铜峡滨河	河流	青铜峡市	3500	近期	
地方级	28	陈袁滩	湖泊	青铜峡市	79	中期	
地方级	29	青铜峡 108 塔	河流	青铜峡市	30	近期	
地方级	30	红寺堡湿地	湖泊	红寺堡区	100	中期	
地方级	31	寺口湿地	湖泊	海原县	400	近期	
地方级	32	龙首湿地	河流	中宁县	2000	近期	
地方级	33	中宁黄河湿地	河流	中宁县	167	中期	
地方级	34	南河子	湖泊	中宁县	33	远期	
地方级	35	中卫滨河	河流	中卫市	1000	近期	

（续）

级别	序号	名　称	湿地类型	所在地(市)、县	规划面积	拟建时期	升级时期
地方级	36	海原湿地公园	湖泊	海原县	80	远期	
地方级	37	沈家河	人工	原州区	300	中期	
地方级	38	大湖滩	湖泊	原州区	282	远期	
地方级	39	西海子	湖泊	原州区	40	远期	
地方级	40	泾河源	河流	泾源县	100	近期	
地方级	41	葫芦河	河流	西吉县	162	中期	
地方级	42	茹河	河流	彭阳县	20	中期	
地方级	43	沙岗子	湖泊	彭阳县	30	远期	
地方级	44	隆德湿地	湖泊	隆德县	25	中期	
地方级	45	清凉湿地	湖泊	隆德县	20	远期	

表 6-6　宁夏拟建国际重要湿地名录(公顷)

级别	序号	名　称	湿地类型	所在地(市)、县	规划面积	拟建时期	升级时期
国际重要湿地	1	银川鸣翠湖	湖泊	银川市	667	近期	
国际重要湿地	2	石嘴山星海湖	河流	石嘴山市	3950	近期	
国际重要湿地	3	西吉震湖	湖泊	西吉县	358.41	近期	
国际重要湿地	4	青铜峡鸟岛	河流	贺兰县	442	中期	
国际重要湿地	5	中卫腾格里湖	湖泊	中卫市	1010.9	中期	

5　建立健全法律法规体系

宁夏银川市 2003 年 2 月就制定和施行了《银川市湖泊保护办法》，宁夏于 2008 年 11 月制定和施行了《宁夏回族自治区湿地保护条例》。2008 年，宁夏通过实施 GEF—OP12《综合生态治理理念在湿地保护立法中的应用研究》项目，对《宁夏回族自治区湿地保护条例》立法提出若干研究建议。2010 年，宁夏人大常委会对施行《宁夏回族自治区湿地保护条例》情况进行了立法后评估。

总体讲，《宁夏回族自治区湿地保护条例》对保护湿地生态和资源，合理利用湿地资源起到了积极保障作用。特别是《条例》中“明确了湿地保护实行综合协调、分部门实施的湿地保护管理体制”“明确了湿地保护体系的组成及多种湿地保护形式的建立及程序”“突出了湿地规划的控制和指导作用”“提出了保障湿地水资源等条款”“突出了湿地自然保护区和重要湿地的保护管理”“规范了湿地利用行为的许可”“提出了湿地资源管理的有关制度”等，都具有合理性和可操作性。宁夏在湿地恢复建设、湿地保护管理、湿地宣传教育，以及建立湿地类型自然保护区、湿地公园等方面进行了有益的探讨和有效的工作，取得了一定成绩和经验。

由于国家目前尚未制定有关湿地保护管理的法律法规，使得地方法规没有上位法依据，一定程度上影响了地方湿地保护的执法效力。因此，在我国已经开展湿地保护工作十几年并积累和取得了许多宝贵实践经验的基础上，国家应尽快制定和出台湿地保护管理的相关法律。目前，鉴于湿地立法涉及因素较多，如原有关资源法内容条目的交叉和协调，如何把湿地各资源要素作为统一体来保护管理的确定，立法的具体条款如何根据需要、特别是急需来明确等需要进一步研究的问题。可以先行制定《湿地保护条例》，把目前急需规范的保护事项、利用许可、管理机制等内容加以明确，经过一个阶段的实践、评估、完善后，再上升到《湿地法》。鉴于我国国情和现行行政管理体制，需要在立法中明确湿地保护管理体制，采用"综合协调管理体制"，还是其他管理体制。根据我国目前对湿地各要素的管理，以实行综合协调管理体制为宜，即明确湿地保护主要行政管理部门的组织、协调、指导和统一监督职能，明确湿地保护各相关部门的职责。

6 建立稳定的投入机制

为了进一步加大湿地保护力度，发挥湿地在生态文明建设的重要作用。《中共中央 国务院关于2009年促进农业稳定发展农民持续增收的若干意见》要求启动湿地生态补偿试点。2009年6月，中央林业工作会议再次要求建立湿地生态补偿制度。2010年，财政部建立了中央财政湿地保护补助专项资金，会同国家林业局开展湿地保护补助工作。2011年10月，财政部、国家林业局的《中央财政湿地保护补助资金管理暂行办法》，为加强湿地保护、建立湿地生态补偿制度奠定了坚实的基础。2014年，国家启动退耕还湿试点省工作，宁夏有大量的黄河滩涂湿地和低产盐碱地，有很多的非在册耕地和非第二轮土地承包地，需要纳入退耕还湿的土地面积初步统计约1万公顷。2014年国家在宁夏哈巴湖国家级自然保护区开展生态效益补偿试点，主要用于保护区范围及保护区周围1公里范围，鸟类在迁徙过程中对耕地的损害及对周边社区环境治理及湿地恢复。这些资金的投入，带动了一系列湿地保护恢复工程实施，成效显著，明显改善了项目区湿地退化的生态状况。逐步形成了以湿地公园、湿地保护区为主的保护恢复模式，对宁夏重要湿地的保护和恢复起到了很好的示范带动作用。宁夏在已有政策措施和试点经验工作的基础上，根据实际情况，通过国家、地方财政开展湿地补助资金工作，巩固和扩大补助政策，开展补偿试点，逐步规范了管理体制与运行机制，建立湿地投入顺畅的资金保障机制也势在必行。

7 正确处理好湿地保护与合理利用的关系

合理利用湿地是指在可持续发展的框架下，通过生态系统管理措施，维持湿地的生态特征。"绝对保护"和"无序开发"的理念在湿地保护中都是不可取的，湿地保护体系建立的初衷也是将其作为开展合理利用、改善民生的平台，所以，湿地资源保护好与坏，通常取决于生态保护与社会经济发展需要之间的竞争。湿地生态系统拥有巨大的经济价值，只有在保护的前提下，合理利用湿地资源，才能保证湿地生态系统持续发挥效益。在湿地保护和恢复建设发展过程中，必须正确处理好二者关系，当前，湖泊湿地恢复和保护利用工作重在抢救和保护，但从长远发展来看，只有多元开发，不断提升湖泊湿地功能，使之为城市及市民生存、生态所利用，才能真正使湖泊湿地保持活力和生机。适度的开发利用湖泊资源，不仅可以满足市民的游乐需求，还可以有一定的经济收入来弥补湖泊的保护和管理经费不足。宁夏湖泊开发利用特别是在立体绿化，发挥生态功能；利用清淤疏通，发挥产业功能；利用湖面，开发娱乐功能；挖掘历史文化，开发旅游功能等方面还大有文章可做。此外，还可以进一步挖掘历史文化内涵，大力开发旅游功能。如此，方可达到人与湖泊湿地共生共荣、和谐相处的最高境界。过度利用湿地的各种资源，会导致湿地资源枯竭。以科学发展的理念正确处理湿地保护和湿地旅游、养殖、种植业的关系，在不影响鸟类生息、不污染湿地、不破坏湿地生态环境的前提下积极开发湿地资源，进一步提高湖泊湿地的旅游、休闲、科普、文化等方面的功能，实行分类、分层科学规划，促进湿地经济多层次、多角度、多方位发展，才能真正做到湿地保护和开发利用保持有机性、科学性、互促性、循环性的良性关系。

附录1　宁夏湿地调查区域植物名录

序号	科	属	种	
			中文名	拉丁名
（一）蕨类植物				
1	木贼科	木贼属	节节草	*Equiseturn ramosissimum*
2	槐叶苹科	槐叶苹属	槐叶苹	*Salvinia natans*
（二）裸子植物				
1	银杏科	银杏属	银杏	*Ginkgo biloba*
2	松科	云杉属	青海云杉	*Picea crassifollia*
3		松属	油松	*Pinus tabulaeformis*
4			樟子松	*Pinus sylvestris var. mongolica*
5	柏科	侧柏属	侧柏	*Platycladus orientalis*
6		圆柏属	圆柏	*Sabina Chinensis*
7		刺柏属	刺柏	*Juniperus formosana*
（三）被子植物				
1	杨柳科	杨属	胡杨	*Populus euphratica*
2			小叶杨	*Populus simonii*
3			毛白杨	*Populus tomentosa*
4			新疆杨	*Populus alba var. pyramidalis*
5			河北杨	*Populus hopeiensis*
6			箭杆杨	*Populus nigra var. thevestina*
7		柳属	旱柳	*Salix matsudana*
8			垂柳	*Salix babylonica*
9			北沙柳	*Salix psammophila*
10	桑科	大麻属	大麻	*Cannabis sativa*
11	蓼科	蓼属	酸模叶蓼	*Polygonum lapatifolium*
12			水蓼	*Polygonum hydropiper*
13			两栖蓼	*Polygonum amphibium*
14			西伯利亚蓼	*Polygonum sibiricum*
15	藜科	猪毛菜属	猪毛菜	*Salsola collina*
16			刺沙蓬	*Salsola rutenica*
17		地肤属	地肤	*Kochia scoparia*
18		盐爪爪属	细枝盐爪爪	*Kalidium gracile*
19			盐爪爪	Kalidium foliatum
20			尖叶盐爪爪	Kalidium cuspidatum

（续）

序号	科	属	种	
			中文名	拉丁名
21	藜科	滨藜属	中亚滨藜	*Atriplex centralasiatica*
22		碱蓬属	碱蓬	*Suaeda glauca*
23			盐地碱蓬	*Suaeda salsa*
24		沙蓬属	沙米	*Agriophyllum squarrosum*
25		虫实属	绳虫实	*Corispermum declinatum*
26			烛台虫实	*Corispermum candelabrum*
27			软毛虫实	*Corispermum puberulum*
28		雾冰藜属	雾冰藜	*Bassia dasyphylla*
29		藜属	刺藜	*Chenopodium aristatum*
30			灰绿藜	*Chenopodium glaucum*
31			尖头叶藜	*Chenopodium acuminatum*
32			藜	*Chenopodium album*
33		盐生草属	白茎盐生草	*Halogeton arachnoideus*
34	苋科	苋属	反枝苋	*Amaranthus retroflexus*
35	马齿苋科	马齿苋属	马齿苋	*Portulaca oleracea*
36	石竹科	牛漆姑草属	牛漆姑草	*Spergularia salina*
37	睡莲科	莲属	莲	*Nelumbo nucifera*
38	金鱼藻科	金鱼藻属	金鱼藻	*Ceratophyllum demersum*
39	毛茛科	碱毛茛属	长叶碱毛茛	*Halerpestes ruthenica*
40			水葫芦苗	*Halerpestes cymbalaria*
41		毛茛属	毛茛	*Ranunculus japonicas*
42		铁线莲属	黄花铁线莲	*Clematis intricata*
43	小檗科	小檗属	红叶小檗	*Berberis thunbergii* cv. *atropurpurea*
44	芍药科	芍药属	牡丹	*Paeonia suffruticosa*
45	十字花科	沙芥属	沙芥	*Pugionium cornutum*
46		蔊菜属	风花菜	*Rorippa globosa*
47		独行菜属	独行菜	*Lepidium apetalum*
48			宽叶独行菜	*Lepidium latifolium*
49		荠属	荠	*Capsella bursa－pastoris*
50	蔷薇科	珍珠梅属	珍珠梅	*Sorbaria sorbifolia*
51		梨属	杜梨	*Pyrus betulaefolia*
52		苹果属	海棠	*Malus spectabilis*
53			苹果	*Malus pumila*
54		蔷薇属	黄刺玫	*Rosa xanthina*
55		委陵菜属	二裂委陵菜	*Potentilla bifurca*

（续）

序号	科	属	种	
			中文名	拉丁名
56	蔷薇科	委陵菜属	鹅绒委陵菜	*Potentilla anserine*
57			委陵菜	*Potentilla chinensis*
58		桃属	榆叶梅	*Amygdalus triloba*
59		李属	紫叶李	*Prunus ceraifera*
60			杏	*Prunus armeniaca*
61			桃树	*Prunus persica*
62			紫叶矮樱	*Prunus cistena*
63			红叶碧桃	*Prunus persica f. atropur purea*
64	豆科	槐属	槐	*Sophora japonica*
65			龙爪槐	*Sophora japonica f. pendula*
66			苦豆子	*Sophora alopecuroides*
67			苦参	*sophora flavescens*
68		黄华属	披针叶黄华	*Thermopsis lanceolata*
69		百脉根属	细叶百脉根	*Lotus krylovii*
70		苜蓿属	紫苜蓿	*Medicago sativa*
71			野苜蓿	*Medicago falcata*
72		草木犀属	白花草木犀	*Melilotus albus*
73			草木犀	*Melilotus officinalis*
74		紫穗槐属	紫穗槐	*Amorpha fruticosa*
75		刺槐属	刺槐	*Robinia pseudocacia*
76		苦马豆属	苦马豆	*Sphaerophyse salsala*
77		锦鸡儿属	柠条锦鸡儿	*Caragana korshinskii*
78		甘草属	甘草	*Glycyrrhiza uralensis*
79		棘豆属	刺叶柄棘豆	*Oxytropis aciphylla*
80			砂珍棘豆	*Oxytropis psammocharis*
81		黄耆属	单叶黄蓍	*Astragalus efoliolatus*
82			直立黄芪	*Astragalus adsurgens*
83		米口袋属	狭叶米口袋	*Gueldenstaedtia stenophylla*
84		岩黄蓍属	细枝岩黄蓍	*Hedysarum scoparium*
85		胡枝子属	达乌里胡枝子	*Lespedeza bicolor*
86	蒺藜科	白刺属	小果白刺	*Nitraria sibirica*
87			白刺	*Nitraria tangutorum*
88		骆驼蓬属	匍根骆驼蓬	*Peganum nigellastrum*
89			多裂骆驼蓬	*Peganum harmala*
90		蒺藜属	蒺藜	*Tribulus terrestris*

（续）

序号	科	属	种	
			中文名	拉丁名
91	芸香科	拟芸香属	北芸香	*Haplophyllum dauricum*
92	苦木科	臭椿属	臭椿	*Ailanthus altissima*
93	大戟科	大戟属	地锦	*Euphorbia humifusa*
94			钩腺大戟	*Euphorbia siebodiana*
95			乳浆大戟	*Euphorbia esula*
96	卫矛科	卫矛属	丝棉木	*Euonymus maackii*
97	鼠李科	枣属	枣	*Zizyphus jujuba*
98	锦葵科	蜀葵属	蜀葵	*Aithaea rosea*
99	柽柳科	红砂属	红砂	*Reaumuria soongorica*
100		柽柳属	柽柳	*Tamarix chinensis*
101	胡颓子科	胡颓子属	沙枣	*Elaeagnus angustifolia*
102	千屈菜科	千屈菜属	千屈菜	*Lythrum salicaria*
103	小二仙草科	狐尾藻属	狐尾藻	*Myriophyllum verticillatum*
104			穗状狐尾藻	*Myriophyllum spicatum*
105	伞形科	当归属	土参	*Angelica morri*
106		阿魏属	沙茴香	*Ferula bungeana*
107	山茱萸科	梾木属	红瑞木	*Swida alba*
108	报春花科	海乳草属	海乳草	*Glaux maritima*
109	蓝血科	补血草属	二色补血草	*Limonium bicolor*
110			黄花补血草	*Limonium aureum*
111	木犀科	梣属	白蜡树	*Fraxinus chinensi*
112		连翘属	连翘	*Forsythia suspense*
113		丁香属	暴马丁香	*Syringa reticulata* var. *amurensis*
114			洋丁香	*Syringa vulgaris*
115	马钱科	醉鱼草属	互叶醉鱼草	*Buddleja alternifolia*
116	龙胆科	荇菜属	荇菜	*Nymphoides peltatum*
117		龙胆属	达乌里秦艽	*Gentiana dahurica*
118	夹竹桃科	罗布麻属	罗布麻	*Apocynum venetum*
119	萝藦科	杠柳属	杠柳	*Periploca sepium*
120		鹅绒藤属	鹅绒藤	*Cynanchum chinense*
121			羊角子草	*Cynanchum cathayense*
122			老瓜头	*Cynanchum thesioides*
123			地梢瓜	*Cynanchum thesioides*
124	花葱科	菟丝子属	菟丝子	*Cuscuta chinensis*
125		打碗花属	打碗花	*Calystegia hederacea*
126		旋花属	田旋花	*Convolvulus arvensis*

（续）

序号	科	属	种	
			中文名	拉丁名
127	旋花科	旋花属	银灰旋花	*Convolvulus ammannii*
128	唇形科	香薷属	密花香薷	*Elsholtzia densa*
129		益母草属	益母草	*Leonurus artemisia*
130		薄荷属	薄荷	*Mentha haplocalyx*
131		地笋属	地笋	*Lycopus lucidus*
132	茄科	枸杞属	枸杞	*Lycium chinense*
133			黑果枸杞	*Lycium ruthenicum*
134	茄科	茄属	龙葵	*Solanum nigrum*
135		曼陀罗属	曼陀罗	*Datura stramonium*
136	紫葳科	角蒿属	角蒿	*Incarvillea sinensis*
137	车前科	车前属	小车前	*Plantago minuta*
138			车前	*Plantago asiatica*
139			大车前	*Plantago major*
140	菊科	鸦葱属	拐轴鸦葱	*Scorzonera divaricata*
141			鸦葱	*Scorzonera austriaca*
142		蒲公英属	蒲公英	*Taraxacum mongolicum*
143			华蒲公英	*Taraxacum borealisinense*
144			多裂蒲公英	*Taraxacum dissectum*
145		苦苣菜属	苣荬菜	*Sonchus arvensis*
146			苦苣菜	*Sonchus oleraceus*
147		乳苣属	乳苣	*Mulgedium tataricum*
148		苦荬菜属	山苦荬	*Ixeris chinensis*
149			丝叶山苦荬	*Ixeris chinensis* var. *graminifolia*
150		碱菀属	碱菀	*Tripolium vulgare*
151		狗娃花属	阿尔泰狗娃花	*Heteropappus altaicus*
152		亚菊属	灌木亚菊	*Ajania fruticulosa*
153		蒿属	冷蒿	*Artemisia frigid*
154			黄花蒿	*Artemisia annua*
155			艾	*Artemisia argyi*
156			白叶蒿	*Artemisia leucophylla*
157			黑沙蒿	*Artemisia ordosica*
158			沙蒿	*Artemisia desertorum*
159		苍耳属	苍耳	*Xanthium sibiricum*
160		鳍蓟属	鳍蓟	*Olgaea leucophylla*
161		蓟属	刺儿菜	*Cirsium segetum*
162			大蓟	*Cirsium setosum*

（续）

序号	科	属	种	
			中文名	拉丁名
163	菊科	风毛菊属	盐地风毛菊	*Saussurea salsa*
164			草地风毛菊	*Saussurea amara*
165			裂叶风毛菊	*Saussurea laciniata*
166		花花柴属	花花柴	*Karelinia caspia*
167		旋覆花属	蓼子朴	*Inula salsoloides*
168	香蒲科	香蒲属	小香蒲	*Typha minima*
169			火烛	*Typha angustifolia*
170			长苞香蒲	*Typha angustata*
171	眼子菜科	眼子菜属	浮叶眼子菜	*Potamogeton natans*
172			蓖齿眼子菜	*Potamogeton pectinatus*
173			竹叶眼子菜	*Potamogeton malaianus*
174			穿叶眼子菜	*Potamogeton perfoliatus*
175	茨藻科	茨藻属	大茨藻	*Najas marina*
176			小茨藻	*Najas minor*
177	水麦冬科	水麦冬属	水麦冬	*Triglochin palustre*
178	泽泻科	慈姑属	慈姑	*Sagittaria trifolia* var. *sinensis*
179	花蔺科	花蔺属	花蔺	*Butomus umbellatus*
180	禾本科	披碱草属	垂穗披碱草	*Elymus nutans*
181		赖草属	赖草	*Leymus secalinus*
182		冰草属	冰草	*Agropyron cristatum*
183		虎尾草属	虎尾草	*Chloris virgata*
184		隐花草属	蔺状隐花草	*Crypsis schoenoides*
185			隐花草	*Crypsis aculeata*
186		棒头草属	长芒棒头草	*Polypogon monspeliensis*
187		拂子茅属	拂子茅	*Calamagrostis epigeios*
188			假苇拂子茅	*Calamagrostis pseudophragmites*
189		三芒草属	三芒草	*Aristida adscensionis*
190		针茅属	短花针茅	*Stipa breviflora*
191		芨芨草属	芨芨草	*Achnatherum splendens*
192			醉马草	*Achnatherum inebrians*
193		芦苇属	芦苇	*Phragmites australis*
194		隐子草属	细弱隐子草	*Cleistogenes gracilis*
195			包鞘隐子草	*Cleistogenes foliosa*
196		画眉草属	画眉草	*Eragrostis pilosa*
197			小画眉草	*Eragrostis minor*
198		菰属	菰	*Zizania latifolia*

（续）

序号	科	属	种	
			中文名	拉丁名
199	禾本科	狗尾草属	狗尾草	*Setaris viridis*
200		狼尾草属	中亚白草	*Pennisetum flaccidum*
201		稗属	无芒稗	*Echinochlos crusgalli*
202			湖南稷子	*Echinochlos frumentacea*
203	莎草科	水莎草属	水莎草	*Juncellus serotinus*
204			头状水莎草	*Juncellus serotinus* var. *capitatus*
205		藨草属	扁杆藨草	*Scirpus planiculmis*
206			藨草	*Scirpus triqueter*
207			水葱	*Scirpus valiclus*
208		苔草属	中亚苔草	*Carex stenophylloides*
209	天南星科	菖蒲属	菖蒲	*Acorus calamus*
210	百合科	萱草属	北萱草	*Hemerocallis esculenta*
211		葱属	蒙古韭	*Allium mongolicum*
212	鸢尾科	鸢尾属	马蔺	*Iris lactea* var. *chinensis*
213			细叶鸢尾	*Iris tenuifolia*

附录2 宁夏湿地调查区域动物名录

序号	目	科	种	
			中文名	拉丁名
一、脊椎动物				
(一)鱼类				
1	鲤形目	鲤科	马口鱼	*Opsariichthys bidens*
2			草鱼	*Ctenopharyngodon idellus*
3			长尾鲅	*Phoxinus lagowskii Dybowski*
4			瓦氏雅罗鱼	*Leuciscus waleckii waleckii*
5			赤眼鳟	*Squaliobarbus curriculus*
6			团头鲂	*Megalobrama amblycephala*
7			鳙	*Aristichthys nobilis*
8			鲢	*Hypophthalmichthys molitrix*
9			棒花鱼	*Abbottina rivularis*
10			铜鱼	*Coreius heterodon*
11			北方铜鱼	*Coreius speienirionalis*
12			麦穗鱼	*Pseudorasbora parva*
13			圆筒吻鮈	*Rhinogobio cylindricus*
14			大鼻吻鮈	*Rhinogobio nasuius*
15			蛇鮈	*Saurogobio dabryi*
16			黄河鮈	*Gobio hwanghensis*
17			棒花鮈	*Gobio rivuloides*
18			高体鳑鲏	*Rhodeus ocellatus*
19			中华鳑鲏	*Rhodeus sinensis*
20			餐鲦	*Hemiculter leucisculus*
21			鲫	*Carassius auratus*
22			鲤	*Cyprinus capio*
23		鳅科	黄金薄鳅	*Leptobotia ciitrauratea*
24			背斑条鳅	*Nemachilus dorsonotatus*
25			达里湖条鳅	*Nemachilus dalaica*
26			似鲶高原鳅	*Nemachilus siluroides*
27			北方花鳅	*Cobitis granoei*
28			泥鳅	*Misgurnus anguillicaudatus*
29	鲇形目	鲇科	鲇	*Silurus asotus*
30	鲈形目	沙塘鳢科	黄黝鱼	*Hypseleotris swinhonis*
31		鰕虎鱼科	波氏栉鰕虎鱼	*Ctenogobius cliffordpopei*
附　宁夏主要养殖引进外来鱼类				
1	鲟形目	鲟科	施氏鲟	*Acipenser schrenckii*
2	鲤形目	鲤科	青鱼	*Mylopharyngodon piceus*
3			银鲴	*Xenocypris argentea*

（续）

序号	目	科	种	
			中文名	拉丁名
4	鲤形目	鲤科	细鳞斜颌鲴	*Xenocypris microlepis*
5			鲮	*Cirrhina molitorella*
6		胭脂鱼科	胭脂鱼	*Myxocyprinus asiaticus*
7	脂鲤目	脂鲤科	短盖肥脂鲤	*Piaractus brachypomus*
8	鲇形目	叉鮰科	斑点叉尾鮰	*Ictalurus punctatus*
9		鲿科	黄颡鱼	*Pelteobagrus fulvidraco*
10			长吻鮠	*Leiocassis longirostris*
11		胡鲇科	革胡子鲇	*Clarias lazera*
12	鲑形目	鲑科	虹鳟	*Tenulosa reevesii*
13		香鱼科	香鱼	*Plecoglossus altivelis*
14		胡瓜鱼科	池沼公鱼	*Hypomesus olidus*
15		银鱼科	大银鱼	*Protosalanx hyalocranius*
16	鲈形目	塘鳢科	乌塘鳢	*Bostrychus sinensis*
17		鮨科	鳜	*Siniperca chuatsi*
18		棘臀鱼科	大口黑鲈	*Micropterus salmoides*
19		丽鱼科	尼罗罗非鱼	*Oreochromis niloticus*
20	鲻形目	鲻科	梭鱼	*Albula vulpes Linnaeus*
21	鲀形目	鲀科	暗纹东方鲀	*Fugu obscurus Abe*
（二）两栖类				
1	无尾目	蟾蜍科	花背蟾蜍	*Bufo roddei*
2			黑眶蟾蜍	*Bufo melanostictus*
3			岷山蟾蜍	*Bufo minshanicus*
4		锄足蟾科	六盘齿突蟾	*Scuiiger liupanensis*
5		蛙科	黑斑蛙	*Rana nigromaculata*
6			中国林蛙	*Rana chensinensis*
7	有尾目	隐鳃鲵科	大鲵	*Andras davidianus*
（三）爬行类				
1	龟鳖目	鳖科	中华鳖	*Pelodiscus sinensis*
2	有鳞目	游蛇科	虎斑颈槽蛇	*Rhabdophis tigrinus*
（四）哺乳类				
1	啮齿目	鼠科	麝鼠	*Ondatra zibethicus*
2	鼩鼱目	鼩鼱科	喜马拉雅水鼩	*Chimarrogale himalayica*
3		鼹科	麝鼹	*Scaptochirus moschatus*
（五）鸟类				
1	雁形目	鸭科	大天鹅	*Cygnus cygnus*
2			小天鹅	*Cygnus columbianus*
3			鸿雁	*Anser cygnoides*
4			豆雁	*Anser fabalis*

（续）

序号	目	科	种	
			中文名	拉丁名
5	雁形目	鸭科	白额雁	*Anser albifrons*
6			斑头雁	*Anser indicus Latham*
7			灰雁	*Anser anser*
8			赤麻鸭	*Tadorna ferruginea*
9			翘鼻麻鸭	*Tadorna tadorna*
10			鸳鸯	*Aix galericulata*
11			赤膀鸭	*Anas strepera*
12			罗纹鸭	*Anas falcata*
13			赤颈鸭	*Anas penelope*
14			绿头鸭	*Anas platyrhynchos*
15			斑嘴鸭	*Anas poecilorhyncha*
16			琵嘴鸭	*Anas clypeata*
17			针尾鸭	*Anas acuta*
18			白眉鸭	*Anas querquedula*
19			花脸鸭	*Anas formosa*
20			绿翅鸭	*Anas crecca*
21			赤嘴潜鸭	*Rhodonessa rufina*
22			红头潜鸭	*Aythya ferina*
23			白眼潜鸭	*Aythya nyroca*
24			青头潜鸭	*Aythya baeri*
25			凤头潜鸭	*Aythya fuligula*
26			斑背潜鸭	*Aythya marila*
27			鹊鸭	*Bucephala clangula*
28			斑头秋沙鸭	*Mergus albellus*
29			中华秋沙鸭	*Mergus squamatus*
30			普通秋沙鸭	*Mergus merganser*
31	佛法僧目	翠鸟科	普通翠鸟	*Alcedo atthis*
32			蓝翡翠	*Halcyon pileata*
33		鱼狗科	冠鱼狗	*Ceryle lugubris*
34	隼形目	鹗科	鹗	*Pandion haliaetus*
35	䴙䴘目	䴙䴘科	小䴙䴘	*Tachybapus ruficollis*
36			凤头䴙䴘	*Podiceps cristatus*
37			角䴙䴘	*Podiceps auritus*
38	鹤形目	鹤科	灰鹤	*Grus grus*
39			蓑羽鹤	*Anthropoides virgo*
40		秧鸡科	普通秧鸡	*Rallus aquaticus*
41			白胸苦恶鸟	*Amaurornis phoenicurus*
42			小田鸡	*Porzana pusilla*

（续）

序号	目	科	种	
			中文名	拉丁名
43	鹤形目	秧鸡科	黑水鸡	*Gallinula chloropus*
44			白骨顶	*Fulica atra*
45	鸻形目	鹬科	丘鹬	*Scolopax rusticola*
46			针尾沙锥	*Gallinago stenura*
47			扇尾沙鹬	*Gallinago gallinago*
48			红脚鹬	*Tringa tetanus*
49			白腰草鹬	*Tringa ochropus*
50			白腰杓鹬	*Numenius arquata*
51			林鹬	*Tringa glareola*
52			矶鹬	*Tringa hypoleucos*
53			三趾[滨]鹬	*Calidris alba*
54			乌脚滨鹬	*Calidris temminckii*
55			长趾滨鹬	*Calidris subminuta*
56		雉鸻科	水雉	*Hydrophasianus chirurgus*
57		反嘴鹬科	黑翅长脚鹬	*Himantopus himantopus*
58			反嘴鹬	*Recurvirostra avosetta*
59			鹮嘴鹬	*Ibidorhyncha struthersii*
60		鸻科	金斑鸻	*Pluvialis fulva*
61			金眶鸻	*Charadrius dubius*
62			环颈鸻	*Charadrius alexandrines*
63			蒙古沙鸻	*Charadrius mongolus*
64			凤头麦鸡	*Vanellus vanellus*
65			灰头麦鸡	*Vanellus cinereus*
66		燕鸻科	普通燕鸻	*Glareola maldivarum*
67	鸥形目	鸥科	黑尾鸥	*Larus crassirostris*
68			银鸥	*Larus argentatus*
69			西伯利亚银鸥(织女银鸥)	*Larus vegae*
70		燕鸥科	红嘴鸥	*Larus ridibundusi*
71			鸥嘴噪鸥	*Gelochelidon nilotica*
72			普通燕鸥	*Sterna hirundo*
73			白额燕鸥	*Sterna albifronss*
74			须浮鸥	*Chlidonias hybrid*
75			黑浮鸥	*Chlidonias niger*
76	鹳形目	鹭科	黄嘴白鹭	*Egretta eulophotes*
77			苍鹭	*Ardea cinerea*
78			草鹭	*Ardea purpurea*
79			大白鹭	*Egretta albus*
80			中白鹭	*Egretta intermedia*

（续）

序号	目	科	种	
			中文名	拉丁名
81	鹳形目	鹭科	牛背鹭	*Bubulcus ibis*
82			池鹭	*Ardeola bacchus*
83			夜鹭	*Nycticorax nycticorax*
84			黄苇鳽	*Ixobrychus sinensis*
85			大麻鳽	*Botaurus stellaris*
86		鹮科	白琵鹭	*Platalea leucorodia*
87		鹳科	黑鹳	*Ciconia nigra*
88	鹈形目	鹈鹕科	斑嘴鹈鹕	*Pelecanus philippensis*
89		鸬鹚科	［普通］鸬鹚	*Phalacrocorax carbo*
90	雀形目	鹟科	红尾水鸲	*Rhyacornis fuliginosus*
91			白顶溪鸲	*Chaimarrornis leucocephalus*
92		鹡鸰科	白鹡鸰	*Motacilla alb*
93			黄头鹡鸰	*Motacilla citreola*
94			黄鹡鸰	*Motacilla flava*
95			灰鹡鸰	*Motacilla cinerea*
96			水鹨	*Anthus spinoletta*

附录3　宁夏重点调查湿地概况

1. 哈巴湖重点调查湿地

哈巴湖重点调查湿地范围面积8.4万公顷，湿地面积为1.07万公顷，主要湿地类型为季节性河流湿地、季节性咸水湖湿地、内陆盐沼湿地、季节性咸水沼泽湿地。地理坐标为东经106°53′~107°40′，北纬37°37′~38°03′；位于吴忠市盐池县内。

湿地高等植物41科98属143种。

脊椎动物15目19科68种。其中，鱼类3目4科10种，哺乳类1目2科2种，两栖类1目2科3种，爬行类1目1科1种，鸟类9目10科52种。

国家重点保护鸟类5种。

于1999年建立县级自然保护区，2001年3月建立区(省)级自然保护区，2006年晋升为国家级自然保护区，受自治区林业厅管理，成立了哈巴湖国家级自然保护区管理局。

主要受到盐碱化、沙化威胁。

2. 沙湖重点调查湿地

沙湖重点调查湿地范围面积0.56万公顷，湿地面积为0.86万公顷，主要湿地型包括永久性淡水湖湿地、草本沼泽湿地、季节性咸水沼泽湿地、库塘、运河/输水河、水产养殖场。地理坐标为东经106°13′~106°26′，北纬38°45′~38°55′；位于石嘴山市平罗县。

湿地高等植物18科38属44种。

脊椎动物17目22科74种。其中，鱼类3目4科15种，哺乳类1目1科1种，两栖类2目3科4种，爬行类2目2科2种，鸟类9目12科52种。

于1997年建立的省级自然保护区，受宁夏农垦事业管理局管理，成立了沙湖自然保护区管理处和监测站。

主要受到基建和城市化、盐碱化、旅游产业威胁。

3. 西吉党家岔震湖重点调查湿地

西吉党家岔震湖重点调查湿地范围面积0.41万公顷，湿地面积为358.39公顷，主要湿地类型为永久性咸水湖泊湿地和草本沼泽湿地。地理坐标为东经105°22′~105°31′，北纬35°47′~35°50′；位于固原市西吉县内。

湿地高等植物13科18属20种。

脊椎动物6目16科38种。其中，鸟类9科20种，鱼类3目4科15种，哺乳类1目1科1种，两栖类1目1科1种，爬行类1目1科1种。

于2003年建立省级自然保护区，主管部门为自治区环保厅，管理机构设在西吉县人民政府下属的西吉党家岔震湖湿地自然保护区管理处。

主要受到盐碱化、人为活动和放牧威胁。

4. 石嘴山星海湖国家湿地公园重点调查湿地

石嘴山星海湖国家湿地公园重点调查湿地范围面积0.43万公顷，湿地面积为0.33万公顷，主要湿地类型为永久性淡水湖泊湿地、草本沼泽湿地、库塘和水产养殖场人工湿地。地理坐标为东经105°58′~106°59′，北纬38°22′~39°23′；位于石嘴山市大武口区。

湿地高等植物17科29属31种。

脊椎动物16目21科76种。其中，鸟类9目12科55种，鱼类3目4科15种，哺乳类1目1科1种，两栖类1目2科3种，爬行类2目2科2种。

国家重点保护鸟类5种。

于2009年11月被批准建立为国家湿地公园，主管部门为自治区林业局，管理机构是石嘴山市园林管理局 。

主要受到基建和城市化、污染、盐碱化威胁。

5. 黄沙古渡国家湿地公园重点调查湿地

黄沙古渡国家湿地公园湿地范围面积0.23万公顷，主要湿地类型有洪泛平原湿地、草本沼泽湿地和季节性咸水沼泽湿地。地理坐标为东经106°27′~106°32′，北纬38°31′~38°34′；位于银川市兴庆区。

湿地高等植物11科21属25种。

脊椎动物15目19科51种。其中，鸟类8目10科30种，鱼类3目4科15种，哺乳类1目1科1种，两栖类1目2科3种，爬行类2目2科2种。

国家重点保护鸟类6种。

于2009年12月被批准建立为国家湿地公园，主管部门为自治区林业厅，管理机构是宁夏黄沙古渡生态建设有限公司。

主要受到泥沙淤积、沙化、旅游业的影响威胁。

6. 阅海国家湿地公园重点调查湿地

阅海国家湿地公园重点调查湿地范围面积近0.32万公顷，湿地面积为0.32万公顷，主要湿地型有永久性淡水湖泊湿地、草本沼泽湿地和库塘、运河/输水河、水产养殖场等人工湿地。中心地理坐标为东经106°12′，北纬38°32′；位于银川市金凤区。

湿地高等植物29科属59种。

脊椎动物16目21科73种。其中，鸟类9目12科52种，鱼类3目4科15种，哺乳类1目1科1种，两栖类1目2科3种，爬行类2目2科2种。

于2006年6月批准建立国家湿地公园，主管部门为银川市国有资产管理委员会，经营管理机构为宁夏阅海实业集团有限公司。

主要受到基建和城市化、污染、旅游业、水利工程和引排水的负面影响威胁。

7. 鸣翠湖国家湿地公园重点调查湿地

鸣翠湖国家湿地公园重点调查湿地范围面积0.15万公顷，湿地面积为0.13万公顷，主要湿地类型有永久性淡水湖泊湿地、草本沼泽湿地和库塘、水产养殖场等。中心地理坐标为东经106°21′54″，北纬38°23′20″；位于银川市兴庆区。

湿地高等植物32科60属66种。

脊椎动物16目20科71种。其中，鸟类9目11科50种，鱼类3目4科15种，哺乳类1目1科1种，两栖类1目2科3种，爬行类2目2科2种。

于2006年被批准建立国家湿地公园，主管部门银川市国资委、经营管理机构银川鸣翠湖生态旅游开发有限公司。

主要受到盐碱化、旅游业的影响威胁。

8. 吴忠黄河国家湿地公园重点调查湿地

吴忠黄河国家湿地公园重点调查湿地范围面积0.58万公顷，湿地面积为0.54万公顷，主要湿地类型有永久性河流湿地、洪泛平原湿地、永久性淡水湖泊湿地。中心地理坐标为东经104°17′~107°39′，北纬36°34′~38°23′之间；位于吴忠市利通区和青铜峡市交界处。

湿地高等植物16科26属27种。

脊椎动物16目21科52种。其中，鸟类9目12科31种，鱼类3目4科15种，哺乳类1目1科1种，两栖类1目2科3种，爬行类2目2科2种。

于2009年批准建立国家湿地公园，主管部门自治区林业厅，管理机构为吴忠市湿地保护管理中心。

主要受到基建和城市化、泥沙淤积威胁。

9. 青铜峡鸟岛国家湿地公园重点调查湿地

青铜峡库区鸟岛国家湿地公园重点调查湿地范围面积1.95万公顷，湿地面积为1.18万公顷，主要湿地类型为季节性或间歇性河流湿地、洪泛平原湿地、永久性淡水湖泊湿地、库塘人工湿地。地理坐标为东经105°54′~105°59′，北纬37°43′~37°53′；位于卫宁平原的西北部，银川平原南部。

湿地高等植物14科28属30种。

脊椎动物17目28科102种。其中，鸟类10目19科81种，鱼类3目4科15种，哺乳类1目1科1种，两栖类1目2科3种，爬行类2目2科2种。

于2011年3月被批准为国家湿地公园试点，主管部门为自治区环保厅，管理机构为青铜峡市库区湿地建设管理局。

主要受到盐碱化、围垦、泥沙淤积威胁。

10. 天湖国家湿地公园重点调查湿地

天湖国家湿地公园重点调查湿地范围面积0.3万公顷，湿地面积为0.2956万公顷，主要湿地类型包括永久性咸水湖泊湿地、草本沼泽湿地、灌丛沼泽湿地、季节性咸水沼泽湿地。地理坐标为东经105°41′~105°45′，北纬37°11′~37°14′；位于中宁县长山头农场范围内。

湿地高等植物15科26属26种。

脊椎动物16目19科73种。其中，鸟类9目10科52种，鱼类3目4科15种，哺乳类1目1科1种，两栖类1目2科3种，爬行类2目2科2种。

国家重点保护鸟类5种。

于2003年成立了宁夏长山头天湖湿地保护有限公司，2006年天湖被列入宁夏回族自治区首批湿地保护小区，2011年被批准为国家湿地公园试点。主管部门为宁夏农垦事业管理局，管理机构为长山头农场。

主要受到有盐碱化、围垦、泥沙淤积、旅游业影响威胁。

11. 天河湾重点调查湿地

天河湾重点调查湿地范围面积2.5万公顷，湿地面积为2.3万公顷，主要湿地类型有永久性河流湿地、洪泛平原湿地湿地。中心地理坐标为东经106°40′，北纬38°51′；位于石嘴山市平罗县。

湿地高等植物18科37属45种。

脊椎动物16目21科52种。其中，鸟类9目12科31种，鱼类3目4科15种，哺乳类1目1科1种，两栖类1目2科3种，爬行类2目2科2种。

于2005年成立副科级单位平罗县黄河湿地保护林场，2014年批准建立天河湾国家湿地公园。主管部门为自治区林业厅，管理机构为平罗县林业局下设的黄河湿地保护林场。

主要受到盐碱化、围垦、泥沙淤积威胁。

12. 银川平原重点调查湿地

银川平原重点调查湿地范围面积1.8万公顷，湿地面积为1.6万公顷，主要湿地类型有永久性河流湿地、洪泛平原湿地湿地、永久性淡水湖泊湿地。中心地理坐标为东经106°28′，北纬38°25′；位于银川市贺兰县、兴庆区、永宁县、灵武市的黄河两岸。

湿地高等植物16科24属32种。

脊椎动物13目20科48种。其中，鸟类7目12科28种，鱼类3目4科15种，哺乳类1目1科1种，两栖类1目2科3种，爬行类1目1科1种。

主管部门为自治区林业厅，管理机构为银川市湿地管理办公室。

主要受到基建和城市化、盐碱化、围垦、泥沙淤积威胁。

13. 鹤泉湖重点调查湿地

鹤泉湖重点调查湿地范围面积0.07公顷，湿地面积0.0667公顷，主要湿地类型有永久性淡水湖泊湿地、草本沼泽湿地、人工养殖场人工湿地。中心地理坐标为东经106°16′，北纬38°17′；

位于银川市永宁县。

湿地高等植物9科12属12种。

脊椎动物16目20科71种。其中鸟类9目11科50种，鱼类3目4科15种，哺乳类1目1科1种，两栖类1目2科3种，爬行类2目2科2种。

主管部门为永宁县人民政府，管理机构为鹤泉湖生态保护旅游公司。

主要受到基建和城市化、旅游业影响威胁。

14. 腾格里荒漠重点调查湿地

腾格里荒漠重点调查湿地范围面积0.52万公顷，湿地面积为0.32万公顷，主要湿地类型有永久性淡水湖泊湿地、季节性咸水沼泽湿地、水产养殖场人工湿地。中心地理坐标为东经105°11′，北纬37°30′；位于中卫市沙坡头区。

湿地高等植物25科55属67种。

脊椎动物16目19科63种。其中，鸟类9目10科42种，鱼类3目4科15种，哺乳类1目1科1种，两栖类1目2科3种，爬行类2目2科2种。

主管部门为自治区林业厅，管理机构为中卫市沙坡头区林业生态建设局。

主要受到基建和城市化、盐碱化、污染、沙化威胁。

15. 卫宁平原重点调查湿地

卫宁平原重点调查湿地范围面积1.30万公顷，湿地面积为1.24万公顷，主要湿地类型有永久性河流湿地、洪泛平原湿地湿地、永久性淡水湖湿地和库塘人工湿地。中心地理坐标为东经105°19′，北纬37°29′；位于中卫市沙坡头区和中宁县。

湿地高等植物16科20属22种。

脊椎动物14目18科50种。其中，鸟类8目10科31种，鱼类3目4科15种，哺乳类1目1科1种，两栖类1目2科2种，爬行类1目1科1种。

主管部门自治区林业厅，管理机构为中卫市沙坡头区林业生态建设局。

主要受到基建和城市化、泥沙淤积、污染、围垦威胁。

参考文献

[1]陈宜瑜，吕宪国．湿地功能与湿地科学的研究方向[J]．湿地科学，2003，1(1)：7～11.

[2]陈宜瑜．中国湿地研究[M]．长春：吉林科学技术出版社，1995.

[3]范忠民．中国鸟类种别概要[M]．沈阳：辽宁科学技术出版社，1990.

[4]傅景文．宁夏鸟类图鉴[M]．银川：宁夏人民出版社，2007.

[5]国家林业局．国家重点保护野生植物名录(第一批)[J]．植物杂志，1999，(5)：4～11.

[6]姜汉侨．植物生态学[M]．北京，高等教育出版社，2004.

[7]雷昆，张明祥．中国的湿地资源及其保护建议[J]．湿地科学，2005，3(2)：81～86.

[8]李炳玺，谢应忠，赖声渭，等．银川平原湿地维管植物区系研究[J]．农业科学研究，2005，26(4)：33～36.

[9]李桂桓，郑宝赉，刘光佐．中国动物志．鸟纲第十三卷雀行目(山雀科—绣眼鸟科)[M]．北京：科学出版社，1982.

[10]刘纪远．中国资源环境遥感宏观调查与动态研究[M]．北京：中国科学技术出版社，1996.

[11]吕宪国，刘晓辉．中国湿地研究进展[J]．地理科学，2008，28(3)：301～308.

[12]马德滋，刘惠兰．宁夏植物志(第1卷)[M]．银川：宁夏人民出版社，1986.

[13]马德滋，刘惠兰．宁夏植物志(第2卷)[M]．银川：宁夏人民出版社，1990.

[14]宁夏黄河湿地保护和利用总体规划．银川．2003.

[15]宁夏林业局森林资源保护处．野生动物保护管理法律法规适用手册(内部文件)，2005. [16]宁夏统计年鉴(2009)[M]．北京：中国统计出版社，2009.

[17]寿镇黄．中国动物图谱(兽类)[M]．北京：科学出版社，1986.

[18]田婉淑，江耀明．中国两栖爬行动物鉴定手册[M]．北京：科学出版社，1986.

[19]王荷生，张镱锂．华北地区种子植物区系研究[J]．云南植物研究，1995，(增 VII)：32～54.

[20]王荷生．华北植物区系的演变和来源[J]．地理学报，1999，54(3)：213～223.

[21]王荷生．华北植物区系地理[M]．北京：科学出版社，1997.

[22]王荷生．植物区系地理[M]．北京：科学出版社，1992，1～3.

[23]王香亭．宁夏脊椎动物志[M]．银川：宁夏人民出版社，1990.

[24]吴征镒，周浙昆，李德铢，等．世界种子植物科的分布区类型系统[J]．云南植物研究，2003，25(3)：245～257.

[25]吴征镒．植物区系地理学教学大纲(初稿)[M]．云南省植物学会，1984，21～35.

[26]吴征镒．中国植被[M]．北京：科学出版社，1995.

[27]吴征镒．中国种子植物属的分布类型[J]．云南植物研究，1991，增刊IV：1～139.

[28]约翰·马敬能，卡伦·菲利普斯，何芬奇．中国鸟类野外手册[M]．长沙：湖南教育出版社，2000.

[29]赵其国，高俊峰．中国湿地资源的生态功能及其分区[J]．中国生态农业学报，2007，15(1)：1～4.

[30]赵正阶. 中国鸟类志[M]. 北京：科学出版社，2001.

[31]郑宝赉. 中国动物志. 鸟纲第八卷雀行目(阔嘴鸟科—和平鸟科)[M]. 北京：科学出版社，1985.

[32]郑光美. 中国鸟类分类与分布名录[M]. 北京：科学出版社，2005.

[33]郑生武. 中国西北地区濒危动物志[M]. 北京：中国林业出版社，1994.

[34]郑作新. 中国动物图谱(鸟类).(第三版)[M]. 北京：科学出版社，1978.

[35]中国野生动物保护协会. 中国鸟类图鉴[M]. 郑州：河南科学技术出版社，1995.

附件

宁夏湿地资源调查主要参与人员名单

清华大学3S研究中心(中央技术支撑单位): 马洪兵　王　侠　燕国青

宁夏湿地保护管理中心: 李占才　郭宏玲　翟　昊　段志刚　胡海英　高维军　王芬明

宁夏林业调查规划院: 张全科　楼晓钦　汪泽鹏　杨健　黄　维　俞立民　窦建德　徐志鹏

银川市湿地管理办公室: 李保国　马建国　吕金虎　王筱平　高　鹏　谭　鹏

宁夏大学: 张显理　何彤慧　程　志

哈巴湖国家级自然保护区管理局: 张生英　尤万学　王锦林　韩卫东　余　殿　牛向雯
陈　娜　李玉飞　周景玉　田　波　齐晓明　马福江　郑树超　王子良
陈志荣　唐　杰　吕　楠　郭根利　史波涛　杨立瑾　马灵芝　马国荣
张　彪　黄莉芬　王宝华　王更生

北京林业大学研究生院: 边　振　刘　建　王莉莉

黄沙古渡国家湿地公园: 冯忠雄　孙　岩　张　欣

鹤泉湖国家湿地公园: 朱建勇　张耀华　张振慧

中卫腾格里湖湿地公园: 尚子华　雍正盛　俞学志　孟新忠　杨　立

阅海国家湿地公园: 冯玉璞　胡文启　李志军　范晓明

鸣翠湖国家湿地公园: 朱建仁　张淑琴　黄　蕊　尹　超　李生斌　侯　龙　余　静
杨　军　聂　静　梁　楠　张建忠　芦长春　顾永红　王　志　张红雄　李学琴
马　银　吴东平　杨海霞

吴忠黄河国家湿地公园: 吴玉林　杨　宁　薛　真　周　楠　吴玉刚　张　瑜　马金梅　何　鹏
范　冰

青铜峡库区湿地生态建设局: 王洋　李卫东　马明松　周　磊

天河湾湿地林场: 李　斌　戴新义　黄　理　徐慧梅

震湖湿地自然保护区: 张献忠　张彦仁　李树骞

星海湖国家湿地公园: 张建华　杨东芳　陈大国　寇光涛　吴恒德　沈英滨　高海涛　王　璞

宁夏农垦事业管理局湿地资源保护管理站: 荀光生　史红宁　黄　锐　李亚丽　韦　宏

长山头农场: 马　荣　刘　杰　胡俊智　胡俊龙　杨　涛　王金山　周学义　马国东　冯启东

前进农场: 马　震　邓子兵　李银龙

沙湖旅游公司: 陈一平　杨建东　杨艳梅　谈静波　宁海霞　王选翎

暖泉农场: 梁志明　李巨波

南梁农场: 班世才　赵　银

渠口农场: 鲍中灵　王学军

玉泉营农场：王自力　马建军
黄羊滩农场：王家银
简泉农场：薛　军
农牧场：徐　胜
平吉堡农场：田光金　张学金

后　记

湿地保护管理是各级林业行政主管部门的重要职责，开展湿地资源调查可以摸清宁夏湿地面积、分类、分布、生态状况等基本情况，分析演替趋势，评估生态质量、总结存在的问题，并提出建设性意见，为科学保护和可持续利用湿地资源、实现科学动态管理奠定坚实的理论基础。为此，依据国家林业局有关要求，宁夏于2009年启动了宁夏湿地资源调查工作和《中国湿地资源·宁夏卷》编著工作。

《中国湿地资源·宁夏卷》编著体现了宁夏党委、政府的高度重视，倾注了宁夏林业厅的关心和支持，凝练了各领域专家的心血和智慧，谱写了宁夏林业人在湿地生态保护上的新篇章。《中国湿地资源·宁夏卷》成稿历经5年，反复斟酌，多次修改，参与人员付出了巨大的心血。2009年6~12月，成立了宁夏湿地资源调查工作领导小组、专家技术委员会、市级调查领导小组等组织机构，完成了《宁夏湿地资源调查工作方案》《宁夏湿地资源调查技术细则》；2010年3月，宁夏湿地资源调查全面启动；2010年3月、5月、10月，分别举办三期技术培训班；2010年5~12月，开展卫片解译，湿地斑块区划，完成重点湿地的动植物调查；2010年9~11月，对湿地斑块进行外业验证，开展鸟类迁徙期的调查；2010年11月，完成数据录入、汇总工作并开展了质量检查工作；2011年1月下旬完成数据入库、成图和调查表格汇总工作；2011年1月22日，组织有关专家对《宁夏湿地资源调查报告(送审稿)》进行了评审；2011年3月，对宁夏第二次湿地资源调查工作进行总体质量检查，综合分值为95.77，质量评定等级为优秀；2014年3月，调整有关调查数据；2014年4月~8月，《中国湿地资源·宁夏卷》初稿编著完成；2014年8月至2015年10月，《中国湿地资源·宁夏卷》完成三审三定工作。

本次调查和《中国湿地资源·宁夏卷》编著工作，以2008年和2009年丰水期的CBERS卫星CCD相机数据为主要数据源，利用遥感影像，采取“3S”技术和内业、外业相结合的方法，对宁夏行政区域内面积8公顷(含8公顷)以上的湖泊湿地、沼泽湿地、人工湿地以及宽度10米以上，长度5公里以上的河流湿地以及其他具有重要意义的湿地开展调查。调查共区划为37个湿地区，其中单独区划的湿地区15个(重点调查湿地)，以县(区)为单位区划的零星湿地区22个，区划湿地斑块1694个，其中重点调查湿地321个，一般调查湿地1373个。据查，宁夏湿地共4类14型，面积为20.72万公顷，占全区国土面积的3.99%。《中国湿地资源·宁夏卷》详细介绍了宁夏湿地的成因、类型、分布、面积、动植物资源、水资源以及宁夏的自然、社会经济基本情况，从湿地利用现状和利用方式两个方面论述了湿地资源利用情况，并对利用前景进行了综合分析；利用自然和人文两个方面，13个指标对15个重点调查湿地开展了科学评估；依据第一次、第二次湿地资源调查结果对宁夏湿地进行了纵向对比；从保护与管理的角度，分析了目前湿地生态建设的问题，提出了长远的建议与对策。全书不仅建立了宁夏湿地资源信息图、库，为今后宁夏加强湿地资源保护与合理利用提供了翔实的本底资料，同时还为宁夏培养了一大批湿地资源调查的专业技术人才，提升了宁夏湿地保护与管理的技术水平，对今后宁夏全面加强湿地保护工作有极其重要的意义，是湿地保护工作者必备的工具书。

《中国湿地资源·宁夏卷》的编著是按照国家林业局湿地保护管理中心的统一要求，在宁夏林业厅的领导下，以清华大学3S研究中心和宁夏林业调查规划院为技术支撑单位，在全区各地市县林业局、自然保护区管理局、各重点调查湿地主管部门、宁夏大学等单位的支持和配合下，由宁夏湿地保护管理中心负责组织协调，克服了种种困难，共同完成的。在工作开展期间国家林业局湿地保护管理中心和国家局林业调查规划设计院有关领导和专家多次亲临指导。在此谨向参与和支持关心本书出版工作的部门、单位以及领导、专家表示衷心的感谢。

由于水平有限，本书中难免有不妥之处，敬请专家学者和业内人士批评指正。

《中国湿地资源·宁夏卷》编写组

2015年3月